JN071603

人を生かすリーダーシップ

牧師と信徒の 健全な牧会

金 相福（キム サンボク）［著］
廉 成俊（ヨム ソンジュン）［訳］

いのちのことば社

はじめに

「恵みの高き嶺 -Higher ground」はリーダーシップをよく表現する賛美だと思います。リーダーは人々との共感や分かち合いより、さらに良い目標と世界を示し、人々を説得し、ビジョンを共有し、人々を〝恵みの高き嶺〟へと向かわせ、共に行くように導く人だと思います。

リーダーは、先天的リーダーと後天的リーダーとに分類できます。少数の先天的リーダーはリーダーの資質を持って生まれます。けれども大部分の場合は、後天的リーダーです。小さな機会が与えられたとき、リーダーの資質とリーダーシップを学びながら成長し、実践を行いながら徐々にリーダーとして成長するのです。

私の場合は、後天的です。私は内向的なので、人前に出るのが苦手であまり好きではありません。しかし、いったん私に任されたことには、誠実に従うように努力します。

最近、私は牧会と神学校から引退したので、蔵書を図書館に寄贈するため整理しました。本を種類別に分類する中で、少し驚いたのは、リーダーシップに関する本が百六十八冊あったことです。私は四十五年間牧会をしたので、一年に平均四冊のリーダーシップに関する本をこつこつ買って読みながら、リーダーシップを少しずつ学び実践したのだと思います。「私はこんなにたくさんリーダーシップの本を読み、研究したのか?」と自分で自分にびっくりしました。

リーダーシップには様々な形態があります。すべてのリーダーが同じ性質と品格を持っているのではありません。マザーテレサと第二次世界大戦の司令官マッカーサーは全然違う性質と気質を持っています。しかし、リーダーたちは共通の資質と特徴、方法を共有しているようです。だから良い結果が生まれます。良いリーダーが関わっている共同体はますます発展し、共同体に属している人々は喜んでやりがいを感じ、満足しながら成功を共に祝います。リーダーを尊敬し、喜んで従い、リーダーと一緒にいるのを誇らしく思います。特にキリスト教指導者の場合は、一般社会のリーダーたちと似ている点がありながら、独特な霊的資質の開発を伴ってもいます。

廉成俊宣教師が翻訳した日本語版の『人を生かすリーダーシップ』は、私が牧会において聖書と素晴らしい先輩牧会者たちを通して学んだことを内容としています。この本は一九八七年、韓国の神学校と教会でリーダーシップについて研究、講義をした際に、合同神学大学院において一週間、学生と牧会者、教授が参加したセミナーで講義した内容です。神学校の通常講義を休講し、私に一週間を任せてくださいました。講義をする前には心配もありました。一人の先生から一時間講義を聞くのも大変なのに、私一人の講義を一週間、午前と午後に聞くのは退屈ではないかなと思いました。私の人生で一週間ずっと講義したのは最初で最後でした。

私の心配にもかかわらず、聖霊が油を注いでくださり、多くの恵みを与えてくださいました。録音した講義の内容はすぐに、ある出版社から『牧会者のリーダーシップ』という題で出版されました。当時リーダーシップについてはあまり知れていなかったので、新鮮でセンセーショナルであったそうです。神学生、教会やキリスト教の指導者たち、あるいは一般企業の方々からの関心もあり、本は四十五版を刷りました。録音テープもたくさん配布されたようです。

初めて聞いた〝牧会者のリーダーシップ〟に対して、皆さんが興味を持ってくださったのだと思います。神学校では教材として用いられ、講義に参加していない人たちが勉強会を立ち上げて読んだり、議論したりと長く用いられました。私が想像もしなかった人たちの反応に驚きました。その後から、教団や神学校、牧会者、キリスト教団体から講義の要請をいただきました。多くの新聞や雑誌から文章の依頼を受けました。

その後、社会的にもリーダーシップが話題になり、興味を持たれるようになりました。若手の学者たちがリーダーシップ学会の組織をつくり、研究し始め、神学生たちはリーダーシップの研究をして論文に書き、修士号や博士号をとって教授になりました。今では牧会者のリーダーシップは神学校の科目になりました。

私はその後、聖書全体をリーダーシップの観点から研究しながら説教や教えることをしました。聖書は素晴らしいリーダーシップの教科書でもあります。数多くの資料やたとえに満ちています。同じ仕事をしてもリーダーシップの概念を知って行う人と、そうでない人には差があると思います。結果や効果に違いが生じます。牧会も同じではないかと考えています。

だいぶ時間が経ったリーダーシップ講義が、今回日本語版として出版されるのは気になります。願うことは、日本の教会とクリスチャンに少しでも役に立つならば何より嬉しいことです。日本宣教に用いられている廉成俊宣教師と、いのちのことば社に心から感謝いたします。

二〇二〇年　一月

金相福（キムサンボク）　ハレルヤ教会元老牧師
トーチ・トリニティ神学大学院大学校名誉総長

目次

一　牧会者の否定的なリーダーシップ

どのような教会になってはならないか、牧会者として教会を導いていくときに邪魔になる要素を、これまで研究したことを中心に述べようと思います。私が研究して驚いたことは、どのようにしてはならないかという項目が、どのようにしたらよいかという項目より多いことです。それを見ると、人々は一般的にどのようにすればいいのか分からない傾向にあると思います。申命記27、28章に呪いの項目が祝福の項目よりも多いことを見ても、人々は自己破滅的な傾向があると思います。そこに、自分も気が付かないうちに自滅していくようすを見ることができます。

1　成長に対する無計画

第一に、成長に対する計画がないこと。つまりどのように福音を伝えるか、どのように教会を導いていくのか、どのようにすればイエス・キリストの教会がより成熟していくのかに対する具体的な計画がないということです。教会を建てて、教会で毎週説教をして、日曜学校をしていれば自分たちの教会は成長するだろうと漠然と待っているだけです。イエス・キリストもたとえ話の中で、将軍が戦をしに行くのに、城壁の高さはどのくらいで、自分たちの軍隊は何人いて、どのように戦をするのか、すべてを調査せずに戦に出て行く将軍が世界のどこにいるだろうかと言い、大工が家を建てるのに、材木はどのくらい必要で、どの材料を使って、どのように、いつ、どのような形に建てていくかという具体的な計画なしに、ただ適当に建ててはならないとおっしゃいました。ただ忙しくしていると、ある日突然、聖霊が働いてくださってどうにかなると期待します。これは霊的な戦いです。ですから戦いを勝利に導くためには、全力を尽くして最大の努力をするだけではなく、戦略を立てなくてはなりません。

私も多くの教会を訪ねる中で見ましたが、多くの牧師たちは自分の教会が良い教会になったらという、漠然とした望みはありますが、具体的な計画を、目標を、戦略を立てないでいます。その地域を占領するには、その地域に対する具体的な計画が必要でしょう。原因があるから結果が現れるのです。ですから、私たちの地域に教会が十個あろうとも、私たちの地域にはこの教会一つしかないのだと思って、戦略を練って努力をしなくてはなりません。無計画な教会は成長することができないのです。

2 距離感のある説教

最初に神学校で教えたとき、所属の学科で私をチャプレンに選んでくれました。私の責任の一つは、市内にある貧困者の救護所でした。ホームレスの人たちがこの救護所に来て礼拝をささげ、説教を聞くと食べ物を配ります。つまり夕食を食べるためにそこに来て説教を聞くわけで、ということは彼らは説教を聞きに来ているのではなく、ご飯を食べに来ているのです。私たちのクラスは水曜日の夜を担当し、賛美、礼拝、説教を導かなくてはなりませんでした。

彼らの中には高齢の方もいますし、若い人もいます。六十〜七十人が礼拝に参加するのですが、あるとき一人の牧師がそこで説教をすることになりました。その方の説教は、和解(reconciliation)、義認(justification)、聖化(sanctification)、栄化(glorification)等の難しい単語を使いながら三十分間話すのです。普通の人々の知らない単語を使用して長い間しゃべり倒すのです。私たちは神学をするとき、そのような神学的な用語を気楽に使いますが、教会員は聖化や義認が何か知る余地もありません。神学的な専門用語はそれだけで牧師との距離感を抱かせることがあります。理解するのに数時間の講義を必要とする神学用語を安易に使うときに、聞く人々との距離感が生まれるでしょう。

いろいろな教会を回ってみると、そこの教会員が私にこんなことを話します。「私たちの牧師の説教はとても聖書的です。」私の説教は聖書だけを語るのではないので退屈しないが、自分の牧師は聖書だけを語るので聞いていて難しいというのです。それは聖書だけによって説教をしているので退屈だということではなくて、聖書の内容を聖書の単語のみで表現するので教会員が理解しがたいから起こることです。

どこに違いがあるのか比べてみましょう。私もそのような失敗をした者です。アメリカの教会で最初に牧会をしたときは、神学部を卒業したばかりだっただけでなく伝道師や副牧師を経験していなかったので、知っていることと言えば神学校の講義しかないのです。それで教会堂で説教の代わりに神学の講義を始めたものです。神学校で三年間学んだことしか知らないものですから。

神学校時代、あるアメリカ人の教会で一度説教をしたのがきっかけで、アメリカの教会へ招かれました。そんな経験の浅い者が説教をすることができるでしょうか？　最初の説教を思い返してみると、ガラテヤ人への手紙2章の「信仰によって義とされた」でしたが、教会員はこのような説教は十年前に聞いたことがあると言って、おもに高齢の婦人たちが好みました。それで他の教会にも呼ばれて、三年間勉強している間に毎週教会をめぐっていました。

説教を最初にやることになったときには、どんなことを準備しましたか？　皆が知っていることとを説教するのは普通の牧師がすることだというので、新奇なものを考えて、そういうのが神学生らしいと思って深遠なテーマを選び、そこに神学的な話をいくつかくっつけて説教をするのです。そうすると恵みになったのかそうでないのか分からず、その神学生はとても博識だというのです。

私がアメリカで有名な牧師を調査してみたところ、有名な牧師は新奇な話をしないのです。では、どんなことをするのでしょうか？　平凡な話、皆が知っていること、またその説教をするのかというようなこと、人々がいつも話すような問題についてです。人々がいつもよく話す平凡なことが、人々にとっては最も大事なことだからです。それで私たちは、説教をするにあたっては最も簡単な――基準を設けるならば中学一年生ほどの語彙を使って――説教をしなければなりません。説教をするときに最も理解していないだろうと思われる人を見ながら説教をすれば、残りの人はみな理解しています。その人が首を縦にうなずいていればいいのです。それで、中学一年生や小学校五年生がやってきて「伝道師さん、とっても良かったです。よく分かりました」と言えばそれでいいのです。そうでないのなら、牧会者と距離感があるのです。聖書の霊的な真理はどれだけ味わい深いことでしょう！　その味わい深い真理を最も簡単にたとえをもって話すときに、距離感を持たないのです。

私は六か月間、神学部の過程で説教をしましたが、よく考えると教会員にすんなりと入ったようではありませんでした。何を間違えたのだろうかという思いから家庭訪問を始めました。そこで教会員が自分自身の信仰をどのように表現するのかを聞いてみると、彼らが使う平凡な表現がありました。平凡な言葉で説教をすると、教会員が良いと言い、理解するようすを見ることができました。それで私は一時、日曜学校の幼児の本を熱心に読みました。また中・高等部、青少年が使う表現や会話などを探して使い始めると、教会員と私の距離がより近くなり、良い結果になりました。表現を簡単にすることが、牧会者との間に距離を感じさせなくさせます。

もちろん、教会によっては異なることもあるでしょう。知性のある方（インテリ）ばかりが集まる教会もあることでしょう。でもインテリを怖がる必要はありません。私にはこのような経験があります。ある教会の牧師が私に修養会の講師を依頼したのですが、その教会には医者と博士が大勢いて、この人たちのために苦労をしているというのです。その人たちがよく話を聞いてくれないので、金先生どうにかしてくださいと頼むのです。そのとき、私は牧会をしていたのではなく、ワシントンの神学大学に来たときです。その話を聞いたとき私は怖くなり、祈ってみますと答えました。祈ってみる、というのは怖いのでできないという意味です。

その牧師がまた訪ねてきました。それで祈ってみると、神様が私に語ってくださったことは、

「その方々はコンピューター・政治学・医学・生物学・心理学の博士であって、神学の博士なのか？　神のことばの専門家はあなたではないのか？　あなたは神のことばを学んだのだから、あなたがもし哲学的な話や科学的な話や社会的な話をしようとするならその人たちにかなわないだろうが、神のことばについて勉強した人はまさにあなたなのだから、恐れずに行って、他のことは話さないで、ただ神のことばだけを伝えよ」というものでした。神様のことばは働かれました。その上品な方々が床に座り込んで悔い改めの涙を流すのです。正直、私が計画したのは三回目の時間にやるはずだった説教です。初めの時間にはとても知性のある人（インテリ）のように高尚な話をして、あの牧師も私たちと同じようなことを話せる人だという印象を与え、次の時間にはもう少し聖書に触れ、三回目の時間はよりアクティブに語ろうと戦略を練ってきたのですが、夜眠れないので聖霊に働いてくださいと祈り、断食をしました。そうすると、聖霊が私の心に「三回目の時間まで待つ理由はなんだ？」とおっしゃったので、三回目にやる予定だった説教を二回目にやると、本当に神様が働かれて、それを契機にして、その教会が変化していきました。もし私がそこで哲学的なこと、社会的なこと、科学的なことを話したのなら、そのようなことは起こらなかったでしょう。

3　退屈な礼拝

礼拝が眠たい雰囲気で、説教がとても瞑想的で長く聞いていると単調になってくる退屈な礼拝は、教会の成長の助けにはなりません。そういう礼拝では、賛美をするときにも教会員は賛美の意味を考えず、ただ歌うだけです。しかし二番くらい賛美して説明をすると、その次の三番はよりパワフルに賛美します。半ばに少しの説明をすることで賛美の意味がより分かるし、賛美をするようになります。このようなことは私たちの過去の伝統とはやや異なるかもしれませんが、情熱がある礼拝は人々にとって退屈ではありません。礼拝の始まりは黙とうで始め、終わりまでずっと座っているのでは退屈です。それで、一緒に立ったり、座ったりもします。特に説教を聞く直前に立って賛美して座れば、その後の三十分間は座って説教を聞く準備ができるのです。人々は絶えず同じ姿勢でいるときに退屈になります。退屈さがない礼拝の構成も考えてみる必要があると思います。

4　暗い雰囲気

ある牧師は説教をするとき、だいたい否定的なことばかり強調します。アメリカの牧師の中にも、説教で教会員を怒らせイライラさせる人もいます。もちろん社会の問題（issue）を取り上げる意図も大事です。世界教会協議会もだめ、リベラリズムもだめ、共産主義者もだめだというように、あらゆる社会的な問題に意見を言います。牧師たちは社会的な問題を取り上げて社会の悪と戦わせるために、教会員の心の中に怒りを起こさせるような説教をすることもあるでしょう。教会員は礼拝で聞いた説教から怒りを覚えて帰っていきます。例えば、ＡＩＤＳや同性愛について社会悪を浄化させなければならないという考えで研究して、それを聖書的に神様は嫌悪しておられる、と説教することができるでしょう。

しかし、否定的な感情を引き起こす説教やリーダーシップは、成長させない要素です。あるときは教会員に罪を怖がらせ、嫌いにさせるために罪を攻撃することで、教会員は礼拝が終わると罪の意識に満たされて帰っていきます。罪を攻撃するな、という意味ではありません。罪を攻撃しても、罪を攻撃するだけで終わるなら、教会員は罪の意識に満たされてうなだれ、気に病んで教会に来たくなくなります。

イザヤ書にどのように書いてあるでしょうか？　イザヤ書は全部で66章ありますが、二つに分けることができます。1章から39章までのメッセージは罪に定められることです。40章から66章までのメッセージは励ましです。ここに牧会者の特徴があります。牧会者は悪を嫌います。罪を嫌います。それで罪を見るとじっとしてはいられません。しかし、罪を強く非難したら、いつでも励ましで終わらなければなりません。牧会相談をするときも同様ではないでしょうか。どれだけ悪いことをした人の相談をしても、すべてを聞いた後にそれは悪いことで聖書にそぐわないと言った後で、だからあなたは悔い改めなければならないという言葉で終わったら、その人は帰りには重い心で去っていきます。その罪を見せて、罪に対する悔い改めと赦しを通して、自分で告白することで赦される喜びをもって去ることができるようにしなくてはなりません。

この世界は、私たちにとって否定的な感情を引き起こします。それで牧師たちもそのようにすると、教会は正しく働くことができません。終わりはいつでも希望で終わらなくてはなりません。牧会相談をすると、あるときは本当に希望がない状態に出会うことになるでしょう。これ以上どうやってもこの家庭は間違っている、と自分の頭の中で決めつけると希望がないように見えます。しかし、人間の考えで希望がないとき、希望はあります。人々が私のところに来て「希望がない」と言うのが、私は好きです。これ以上どうすることもできないというと、私はひそかに笑います。なぜなら、どうしてもできないと思うそのときに、神様は入ってこられるからです。人間が諦めると神様の能力が現れます。

私も、そのような体験をとても多くしてきました。病院で一人の医者が追い出されることになりました。五年前にもそのようなことが一度あり、そのときも希望がない状況でしたが、信仰が与えられて立ち上がり、祈ることができました。すると、問題は解決し、うまくいっていたのですが、また問題が発生しました。しかし、今回は本当に希望がありませんでした。その人も、「先生、前回のことも問題でしたが、今回のことは本当に希望がありません」と言います。それで私は、彼に詩篇27篇を読んでみるように勧めました。

指導者たちは、いつも三つのことを強調します。信仰と希望と愛、この三つを持っていれば人間は大丈夫です。この三つだけがあれば、人間は幸せに暮らすことができます。信仰は、信じるからできるのではないでしょうか！　「空が崩れても這い出る穴がある」、それが信仰です。人本主義的（ヒューマニズム）で肯定主義的な思考と、キリスト教的で肯定主義的な思考には違いがあります。前者は自分ができると言い、後者は力を与えてくださる方によって（のうちに）できるということです。ただ一人でできるということは、人本主義者（ヒューマニスト）の自己催眠で、私たちは私たちに力をくださる方がいらっしゃるので、いつでもどんなことでも大丈夫なのです。希望がない人は自ら命を落とします。希望がある人はどうでしょうか。そういうわけで、牧会者たちはいつでも希望を見せる人でなくてはなりません。

最後には愛です。愛する人がいるなら自殺を思いとどまれます。数週間前の日曜日に電話が来ました。声を聞いてみると、すでに何か大きな問題がある人のようです。「先生、今私は拳銃をもって自殺しようとしています。引き金を引く前に牧師にひとこと言ってから死のうと思います。」誰なのかと聞いても、名乗ることはできないというのです。それで、私のことをどのように知って電話をしたのかを尋ねると、「誰かが私に金先生にひとこと言ってから死になさいと言いました」というのです。心の中で「主よ、この方の命が私にかかっていますから、聖霊様、どうか私を助けてください」と言って、話を聞いてみると、母親も自分を捨て、自分の兄弟も自分を捨てたので、人間の中には自分のことを好きな人がいない、みな自分のことを嫌うので生きる理由がない。それで死のうとしている、ということでした。問題はいろいろありましたが、それが最も大きな問題のようでした。

いくら死のうとしている人でも、信仰と希望と愛、この三つを授けると生きます。それで私は、この三つのことを話しました。「神様はあなたのことを愛しておられます。」そうすると「先生は私がどんな人か知らないからそう言うのです。神様が私のことを愛するはずがありません。」一時間説得をして神様があなたを愛していることを伝えると、イエスを信じると言いました。それで私と一緒に祈ろうと言いました。「あなたは祈ったことがないでしょうから、私の後に続いて言ってください」と言って、一言ずつ主を受け入れる祈りをすると、感激し泣きながら主を受け入れました。

恐怖や嫌悪や憤慨を引き起こす代わりにいつでも、神様は信仰と希望と愛と喜びをくださいます。ところで、喜びのない牧師が喜びを引き起こせると思いますか？　怒った顔で、葬式に来たような表情で、教会員を喜ばせることができるでしょうか？　喜びのある牧師だけが、教会員を喜ばせることができます。愛のある牧師だけが、教会員に愛を感じさせることができます。それで、牧師の姿が喜びの証拠であり、信仰によって愛の化身になれば、それを見た教会員は喜びを感じることでしょう。

教会の顔は牧師です。牧師が解放されていれば教会員も増えていきます。牧師が幸せなら教会員もみな幸せです。礼拝が始まるときに、牧師が講壇に上って厳格な顔で「皆で祈りましょう」と言えば、初めて教会に来た人は、この教会はとても固いなと感じます。他の人の姿からそのように感じるのではなく、牧師のせいでそう感じるのです。講壇に立ったその人を見て、その人の説教とリーダーシップを見て、その人生が幸せならば、自分も幸せになるだろうと考えます。きれいな服を見て、その服を買って着ると、自分もきれいだろうと思います。実際にはそれほどではなくてもそうです。教会員は常に指導者と自分を同一視します。牧師の姿が教会の雰囲気を決定するのです。牧師は本当に重要なのです。

礼拝を始めるとき、「よくいらっしゃいました。一週間疲れたでしょうけれど、今日は皆で神様の前に集ったので楽しく礼拝をささげましょう。皆さんを歓迎します。あちらを見ると今日始めて来た方も数名いらっしゃいますが、よくいらっしゃいました。今日は一緒に心を合わせて主の前で礼拝をささげましょう。歓迎します」と言いましょう。そうすると、初めて来た人たちもすぐに、「あ、この教会はとても親切な教会だ」と感じることでしょう。教会員が親切にするのにまさって、牧師が前に出て話す言葉によってです。それなのに、笑顔を作っていても、否定的な感情を持ったままであるならどうでしょうか。笑顔がある牧師になるには、笑顔に必要な筋肉をよく発達させる必要があります。いつもふてくされた筋肉だけを発達させているのに笑ったら、逆に不自然です。私たちは、イエス・キリストが与えてくださった豊かな人生が表情と体と生活の中から現れるようにしなければなりません。

特にどんな人たちに気を付けていただきたいかというと、冷静な人です。人間の性格は様々あります。楽観型があり、悲観型があり、達成型があり、適当型があります。楽観型は生まれつき笑っているので、口も笑っている表情も大きいです。何がそんなに良いのか毎日楽しいのです。

次は悲観型の人です。この人たちは神様がそのように造られました。何を見ても難しい顔をしているのです。この方々には預言者的な素質があります。とても分析的で、特別に善と悪を素早く判断します。特に悪をより鋭く見抜きます。それで、他人の短所や間違いにすぐ気が付きます。過去の預言者たちがそうでした。モーセもこの型で、エレミヤもこの型の代表的な人です。それでよく泣きました。そういう人が二五パーセントはいます。牧師の中でも二五パーセントがこの型です。冷静な人に起こりがちなのが恐怖心、不安、焦り、緊張感です。どんな話題にも「それはいけないのに……」「そんなことがあるなんて」と言いますが、それは預言者的な素質があるからです。

そのような人たちはどこにでもいます。私たちの教会が野外礼拝に行こうとすると必ず雨が降ります。そのときも雨が降ったのですが、役員の一人が「先生、雨が降っています」と言いました。私も雨に濡れているのに、それをわざわざ教える必要がどこにありますか？　また「先生、雨が降っていますがどうしましょう？」　どうするかなんて、雨に濡れればいいのではないでしょうか。ほかの人たちは雨が降っても野球をやり、楽しく遊んでいるのに、この人だけが心配するのです。子どもたちが雨に濡れて風邪をひいたらどうしようと心配するのです。風邪をひかないこともあるでしょうに、どうして風邪をひく心配だけをするのでしょうか。子どもたちは雨が降るのにも気が付かず遊んでいるのに、それほど心配し、不安がり、焦るのです。皆さんの中にも必ずこういう方がいらっしゃることでしょう。

このような方々には、明るい笑顔を練習させなければなりません。神様に祈るときも「神様、私に信仰をもっと与えてください。信じていくことができるようにしてください。前を見て希望が持てるようにしてください。神様、私に愛をください。喜びをください」と、このように懇願し、祈り求める練習をしなくてはなりません。暗い人は牧師としてとても難しいです。教会員は悲しいようすの牧師には近づこうとしないからです。彼らは幸せな牧師のところに行こうとするからです。教会はいくらでもあるのに、なぜあえて怒ってすねる人のところに行くでしょうか？

否定的な感情を除去しなければなりません。このような牧師は、よく攻撃する説教をします。もちろん、そのようなときも必要です。しかし、教会員を非難するときには注意しなければなりません。

ある教会で牧師の求人を出すと、二人の人が応募しました。そのうちの一人はラザロの話で説教をしました。ラザロが天国に行けたことを喜びながら話し、金持ちが地獄に落ちたことも喜びながら話しました。次の週にもう一人の牧師が来ました。その牧師は、金持ちの話をするときに涙を流しながら、そのかわいそうな金持ちは何も知らないままにこの世を生きてきたので地獄に行ったと説教しました。その教会ではどちらの牧師を招聘したと思いますか？　皆さんならどちらを選ぶでしょうか？　二人目のほうを選ぶのではないでしょうか？　悪いことをした人を見ながら憐れむ姿は、肯定的な感情を引き起こします。

キリスト教は楽しい宗教です。私は恵みに気が付いてから、大きな喜びに包まれました。平安と喜びを言い表すことがたくさんあります。人生は素晴らしい、という言葉があふれ出します。以前はそうではありませんでした。恵みに気が付く前は、罪の意識の中で人生が暗く面白くありませんでした。それで、自分自身のそのような姿を見て悩むこともありました。昔は悔い改めを強調したので、集会をしても一人残らず皆が泣いたら恵みだと言っていました。

困難を受けることが多いのがこの世です。それでも牧師は笑顔を見せ、愛と希望と信仰を教会員に伝達することで、一週間泣きながら生活したとしても、教会に来ればその暗闇がなくなり、明るさと勇気と希望が目に見えるような牧会をしなくてはなりません。

5　転入・転出

他の教会にいる教会員を自分たちの教会に来させることで、教会を成長させることはできません。その代わり、私たちの教会自体が積極的な伝道計画を立てて、伝道訓練をし、伝道の戦略を立てて、一年間絶えず何をするにしても伝道のためにしなくてはなりません。交わりにも礼拝や伝道にもフォーカスを当てれば豊かな牧会になると考えます。

6 消極的な方策

礼拝をささげ、教会で何をするのかしないのかを決定するのに、お金の有無で決定するのは消極的な政策です。お金はいつでもあります。なぜなら、この世界のすべての物質は神様のものなので、お金を持っている人も神様が動かすからです。

インディアナ州で一緒に働いた一人のアメリカの牧師は、とてもよく牧会をしていました。「先生、どのようにあのような多くのことを成し遂げたのですか?」と聞くと、その先生の答えは、昔気が付いたことがあるというのです。神様に一度、このように祈ったと言います。「神様、私たちの教会はお金が必要なので、お金をください。」すると神様が、なぜ私に求めるのかと言うので、「神様が丘の上の牛をすべて所有しているではありませんか?」と尋ねます。そうしたら「わたしはそれをすべて人々に分け与えたので、その人たちに求めなさい」と答えがあったそうです。消極的な方策と積極的な方策の違いに気が付きました。お金はいつでもあります。アイデアがないのであって、お金がないのではありません。神様の御心を見つけられていないのであって、お金がないのではありません。お金はいくらでもあります。

神学を学ぶにもいろいろ必要があります。私の学校にも、学費がないので勉強を続けられない学生がいます。そのような学生をなんとか助けようと、いろいろなことをしてみます。ある学生は学費がないので勉強ができないというので、時々こう言います。「お金がないから勉強ができなかった人は一人もいないよ。絶対に勉強を続けたいと思う人は必ず修了できる。」

勉強をやってみてできるようだったらやり、学費の余裕がないのでできないと考える人が途中でやめるのです。「神様が私を呼び、神学校に来させてくださった。私は必ず終わらせるべきだ。神様！　私は必ずやらなければなりません。」このように考えてみましょう。お金がどこからかやってきます。そして何年か経てば卒業するようになるでしょう。お金がなくても積極的な方策を立てればよいのです。そうするから神様の栄光が現されるのであって、神学校の勉強がお金がないからできないのでは神様の栄光が現されるでしょうか？

7　確信のない神学

神様のみことばに対して混乱や疑心がある教会や牧師であってはいけません。すでにアメリカで証明されています。『どうして保守的な教会は成長するのか』という本でも登場しましたが、神学に混乱が生まれると、たちまちアメリカの教会はすたれていきました。教会は永遠の世界を、罪が赦されることを見せなければなりません。人々が教会を探すのは霊的な葛藤からです。神のことばに対する確信的な信仰が必要です。講壇に上ってみことばをひらき伝えるならば、それ以上大きな特権がないというような心で、つまり私が人間に生まれて神様の口になった特権意識で――牧師にとってそれ以上の特権がどこにあるでしょうか――教会員に向けて説教をするとき、「私が今からする説教は生と死を分ける説教だ。この神様のことばを聞けば生きて、聞かなければ死ぬ」という心情でやらなければなりません。なぜなら、私たちには神のことばに対する確信があるからです。

あるときには、説教を技術的にうまくやらなければと考えます。音量の大きさ、高さも学びます。でも、メッセージはそれによって伝達されるのではありません。それらが具備されると洗練され認められる説教者になるでしょうけれど、結局どのようなメッセージが伝達されるかということ心から語られるメッセージが伝達されるのです。言葉に少々詰まってもいいのです。私たちの神学校の職員として身体障碍者の方が来ました。見かけは不自由で、言葉も分かりにくいところがあります。その人が神学生の心を泣かせたのは、彼の技量からではありません。心から神様に対する思いがあるので、言葉に詰まりジェスチャーが良くなくても問題にならないのです。私たちが神様の言葉を伝達するときは、私たちの心にこの真理に対する確信と愛が表れてこそ神様の恩寵を着るようになるのです。

8 近視眼的な牧会

教会を担当するときに、この教会で少し学んでだいたい二年にいたら移るようなつもりで、また別の教会に移って教会員が少しでも気に入らなくなったら、すぐにその次の教会に移ってしまうようではいけません。アメリカでは一人の牧師が同じ教会にいる期間は平均三年です。牧師たちは三年ごとに教会を替えます。これはとても近視眼的な牧会ではないかと思います。牧会をよくやる人々の場合を総合してみると、平均約二十年は一つの所で牧会をします。たった数年の間にどうにかしようとして、八か月牧会をしてみて「この教会はうまく成長しません」というのは性急な結論であって、間違ったことです。最低でも三～五年牧会をして基礎ができます。研究の結果によると、三～五年になっていないならそれはまだ始まっていないも同然です。そのときこそ、やっと教会が成長できるパターンができるのです。長期的な見識でじっくりじっくり戦略をたてて着実に進めていかなければなりません。

9 論争的な講壇

保守的な教会も自由主義的な教会も同様です。例えば、無神論である共産主義に反対することは重要です。しかし、反共が講壇の主題になり、神様の教会が反共だけを主張するのでは混乱が生じます。なぜなら、講壇は反共のために作られたのではないからです。神様のいのちのことばを伝えると、自然に共産主義を支持できなくなるのです。共産主義反対を言い続けるなら、政治的な論争を引き起こし、教会員がその説教を聞いたのちに教化されず論争を繰り広げるようになります。

私も一度そのような経験をしたことがあります。創世記1章から説教をしようと思ったのですが、神様の存在から話さなければなりませんよね？　そうしてみると、無神論について攻撃しなければならず、神様の存在に対する肯定的な宣言ではなく、つまりとても積極的な神様の存在に対する真理をそのまま喝破するのではなく、無神論を叩いて有神論を認めさせるような言い方になりました。もう少し進んで、進化論と創造論まで言及するならば――この問題は私にとって普通興味のある問題ではありませんが――長い間それを学び研究してきて、学校でもセミナーでも指導をしたので、科学と宗教の問題を論じるならば面白く論じることはたくさんあります。現代の知識人として聖書をどのように論じるのか、という問いに対する答えはいくらでもあります。進化論も正さなければなりません。科学的に分析して証拠を提示することもできます。それなのに、私が長くやっていると教会員にとって恵みにならないことを知りました。論争を論じているからです。弁証学において、教室において、小グループにおいてならば論争的なことを論じるのは構いませんが、講壇から論争的なことを言い続けると教会員が頭だけで理解するようになります。私たちの説教は頭から心まで届かなければなりません。頭だけで同意して証拠を述べて反論するのでは恵みになりません。私の敵が崩れ落ちると気分がよく痛快になりますが、恵みになりません。

私たちの信仰は知識ではなく心です。科学と宗教の違いもそこにあります。頭だけで留まるのはいけません。理性、意志が熱い心に届くときに、そこに神様の働きが現れるのです。鋭い意志、知性だけで霊的な運動は起こりません。私は学校で弁証学を教えていますが、キリスト教の敵になった論理に反論していくときにどれほど楽しくすっきりすることでしょう！　しかし、恵みになるかと言えばそうではありません。ですから、教会の講壇はいつでも恵みが中心であって、論争が中心であってはなりません。絶えず論争を続けるならば感動は現れず、涙が流れず、恵みにならないのです。このような現象が教会に現れると、成長することが難しいです。私たちの信仰がどれほど正当なのかを理論的に科学的に証明することは良いことですが、講壇はどこまでも恵みが中心であって、心を中心とした講壇でなくてはなりません。

10　誇張された考え方

人々は問題を誇張する傾向があります。小さいことも大きく膨らませます。教会に問題が生じると、その教会は問題について牧会者一人が頭の中で推理するのです。このようなことが生じたので、これはこうなるだろうし、あれはこうなるだろう……と、一人で想像し、考え込んでしまいます。試しにやってもみないで、頭の中でこれができるかできないか、誰かが反対したらどうしようか、間違えて問題が生じたらと考えただけでやめてしまいます。

ある人の車のタイヤに穴が開きました。夜中の一時でした。予備のタイヤはあるのに、ジャッキ（車を持ち上げる器具）がないのです。しかし、約一マイル離れたところに友人が住んでいます。そこに借りに行くほかありません。ところがその友人がとても性格が悪いので、ただでジャッキを貸してくれるはずがないと思いました。まして夜中の一時に寝ているところを起こしてジャッキを貸してくれと言えば、より一層貸してくれそうにないだろうと考えました。しかし、行かないわけにはいかないので行きました。先日もこんな悪いことをされたと思い出し、もうこの性格の悪い友人の顔なんて見ないようにと思っていたのにもかかわらず向かいました。恥をかくだけではないかと考えながらです。ようようドアを叩きました。その友人の名前を呼びながらドアを開けると、一マイルもそこまで歩きながら一人でその友人の悪いところ、悲しかったこと、怒りたいこと、叱られるだろうことを考えて行ったこともあり、その友人に「貸してくれないならいいよ」と言ったそうです。藪から棒にそんなことを言っても、友人が貸してくれるか貸してくれないかは聞いてみないと分からないことです。一人で想像してこのように問題を誇張して、求めることもしないで最初からできないだろうとあきらめて帰ることが多くあります。

私は教会員に、絶対にできないだろうと考えないでと警告します、また「絶対」という言葉を使わないように言います。神様だけが絶対と言えるのです。人間がなんで絶対と言えるのでしょうか? 絶対にできる、絶対にできないと言っても、神様がおられるなら、私たちが絶対にできないように見えることもできるときがあります。奇跡的な人生、超自然的な人生を生きることが、信じる人の人生です。ですから、一人で想像して否定的な暗い考えで、頭の中で作ったり否定したりすることは禁物です。

誇張された否定的な考えを特にどんなときにしてはならないかというと、夜中の二時、三時くらいに電気を消して横になっても眠れないときです。そういうときあれやこれやと考えるとあきらめたくなるし、教会からも離れたくなります。しかし、太陽が昇り歯磨きをすると万事オーライです。なんでもないことをあれこれ考えるなら、その教会は希望がありません。

11 冷めた初恋

黙示録3章15～16節にあるように、初めは熱かったのに冷たくもなく熱くもなくぬるいものがあります。いつこのような現象が現れるのかというと、教会がある程度成長したときに現れます。初めに教会を開拓するときには命がけです。それからある程度教会が成長し百五十人ほど集まると献金もそれなりに集まるようになり、財政も安定してきます。教会も家族のようで楽しく、そうするとそれまで苦労し努力したことに対する神様の祝福の実を、座って食べたくなります。以前は熱心に家庭訪問をしましたが、教会の座席が百五十席あるのに百三十席ほどが埋まるようなら、隣にカバンを置いて座ったらぴったりです。それで、牧会の成功がある程度表れると、その心の実は冷めていきます。初恋が冷めていくのです。これが教会において倦怠期に入る要素になります。冷たい教会は、その教会の信者を違う教会に行こうかと考えるようにさせるので、そうなると自分の友人を教会に誘うようになるでしょうか？　そうはならないでしょう。初めは多少楽しかったのですが、最近冷たいのでは恵みがなく、違う教会に行こうかと考えます。

教会の建築を始めると、このような現象が生じます。教会建築を始めると、建築委員長は他にいても、本当の建築委員長は牧師になります。建築に超集中するので、牧師はやせ細っていきます。建築のあれこれについて回らなければならず、説教の準備時間もありません。特に建築中は気を付けなければなりません。私はそのような光景を見たことがあり、教会の建築を始めるともしかしたらこのようなことになるのではないかと不安になったので、私は建築には手を付けませんでした。建築と一緒に教会員の魂が熱くなるには、牧師が霊的なことに集中し、自分の魂を絶えず熱くしなければなりません。

私たちが説教をするときも、私たちの心が熱くなって出てくるメッセージ、私たちの人生の中から溢れ出るものを分けるのです。私たちがあっさりとしていては、教会員に入っていくことができるでしょうか？　ややもすれば牧会生活に忙しく駆け回っているうちに、私たちの魂が渇いていきます。

牧師は午前中には勉強しなければなりません。しかし、ある活動的な牧師は座っていることができません。私がある副牧師を招いて訓練をしている間に彼に要求したのは、午前から十二時まで教会に出て来るなということでした。部屋に座って必ず勉強してくださいという意味です。なぜなら、活動するうちに神学校で勉強したことを忘れてしまって渇いた状態では、牧会をするための能力がなくなってしまうからです。牧会者は一生勉強しなければなりません。

私たちの心は燃える必要があります。それが牧師をして、教会員に恵みを与えるようにさせます。幸せな人は他の人を幸せなにすることができるし、熱い人は他の人に熱さを分け与えることができます。冷めた人はできません。これを解決するために、牧師は個人的にも名人になる必要があります。新しい人が一人救いを受けると、牧師の心は熱くなります。また自分が福音を伝えて福音を受け入れた人ではなくとも、新しい教会員が福音の証しを絶えずするようになれば、その教会は熱くなります。救いを受ける人が絶えず生まれなければなりません。

12 設備不足

設備が不足すると教会の成長に支障があるという、科学的な研究調査結果があります。例えば、教会堂の収容能力が百人のときに八十五人が入っているなら、それは満タンだということです。知らない人同士でぴったりくっついて座りたいとは思いません。座りにくいです。それで教会の八五パーセントが埋まっているならば満タンだということです。この問題は解決しなければなりません。すでに八五パーセントが埋まっているのに何も変化がなければ、それは教会を向上させません。もちろん例外はありますが、多くの先行研究によってそうだと分かっています。

そのようなときは一つや二つ解決策が生まれなければなりません。一つは二部礼拝をささげることです。二部礼拝をささげれば、一部礼拝も成長し二部礼拝も成長します。そうしないで絶えず埋まった状態で礼拝をささげていると、教会は成長しない傾向にあります。絶対にそうだというのではありません。二つ目は教会を増築する必要があります。しかし、教会の増築にはたくさんのお金がかかります。このような方法で、教会が成長するようすを様々な先行研究から知ることができます。

13 仲間うち中心の教会

最後に、親交中心の教会は成長しません。おもに小さな教会がそうです。家庭的で楽しい反面、自分たちだけとても楽しく外の人たちが入ってくることを嫌います。私たちもそのような経験をしました。地域ごとに八人ずつが一つのグループになり、地域ごとに聖書研究をするのですが、長くやってみると面白くなります。とても親密になり、あまり他人には話さないようなこともすべて話すようになるので、どれほど楽しいことか。そこへ新しい人が一人入ってきたら、また新しく人付き合いを始める過程が必要で不便になります。それで「私たちのグループは新しい人は入れないようにしよう。私たちで団結して楽しくやっているのに」ということになりがちです。このように、とても親交が過ぎると教会の成長の弊害になります。

私が学校で学生科長としてやる仕事のうちの一つは、学校で問題を起こした学生に対して最後の決定をすることです。学生の中で何人かが悪いことをして問題を起こせば、学生手帳に規則を作って追加します。それで学生はそうすることのできないようにします。その問題を引き起こした少数のために学校便覧に規則がまた一つ追加されるのです。そのために学校便覧がどれほど分厚くなるか分かりません。私の主張は、悪い事をする数人だけを処理すればよいのに、なぜこのようにするのかということです。そのせいで学校の規則がどんどん多くなり、新入生が入学しようと便覧を読んでみて驚いて落胆することもあります。

聖書研究をするのに最も適した人数は四人です。顔と顔を合わせてやるので、そこでは自分の心情をすべて分かち合うことができ、言いたいことも言え、互いのために祈ることもできるので、本当に一つになれます。しかし四人だけでやると、宣教、伝道のビジョンがなくなります。自分の信仰の成長だけを考えるのでアウトリーチを忘れるのです。だから四人が集まって勉強しながらも、空いた椅子を一つ置く必要があります。そして、「主よ！　この空席を埋めてください」と祈らなければなりません。自分の信仰の成長のために学びながらも、アウトリーチを考えるのです。それで、椅子が一つ埋まればまた空いた椅子を一つ置いて、「主よ、もう一人を満たしてください」と祈り続け、その聖書研究会が十人になったら二つに分けて、また四、五人から始めるのです。聖書研究をするときにはこのようにして、自分自身の親交だけを考えるのではなくアウトリーチを考えながら、他の人々も私が受ける祝福を受けるように引き寄せる姿勢が必要です。これがとても重要なことです。

二　牧会者の正しいリーダーシップ

「牧会者のリーダーシップ」というものには様々なスタイルがあります。

1　リーダーシップの類型

まずは「労働者型」。なんでも私が一人でやらなければならないという型です。まるで労働者に煉瓦を積み上げろと言うと一人で立って黙々と煉瓦を積み上げ、他人がどのようにやろうともおかまいなしに、一人で言われたとおりにやることを言います。ある牧会者たちは、労働者型です。自分ですべてをやろうとします。そのような人は苦労が多いでしょう。教会が成長しないだけではなく、死ぬまで苦労して忙しいだけです。労働者型の牧会は希望がありません。

次は「班長型」です。まるで分隊長のようです。本来は労働者出身なので、自分が労働したことがあり、どのように労働するのか分かっています。二人から六十五人以上を超えられないなら班長型です。

三つめは「監督型」です。六十六人から百五十人の間の教会員を率いるなら監督型にならなければなりません。この人は教会のすべてのことを監督することができ、また仕事を任せることができます。

しかし、百五十人から四百五十人あたりを牧会することができる人は中級経営人です。この人がどうできるかというと、自分の権限を委任できるだけではなく、彼らを通して仕事を成就させることができます。その次は上級経営人の方法で牧会できる人で、四百五十人から千人までを牧会することができます。このタイプの人は同僚チームを組織することができ、共に仕事をするチームを探し出すことができます。

特に二十～三十年前のアメリカの牧会者たちは特段の専門領域がありませんでした。全体的にMaster of Divinity（牧会学修士）プログラムが特別な専門分野を開発するものではなかったのでとても平凡でしたが、近年は専門的です。神学校の傾向がこのような方向に流れています。神様が与えてくださった召しに沿って、専門化させる傾向にあります。それで一人で牧会することがとても理想的だと思わない限りは、ただ二百五十～三百人の教会員を率いる牧会の時代は過ぎ去っているように思います。これからは、牧師たちは専門家になって、チームを構成しなければなりません。今後の牧会の方向がどこにあり、何を成就させようとしているのかに沿って、伝道に対する特別な召しを受けて専門的に開発された牧師を招いて伝道の運動を起こし、教育が専門の牧師や相談が専門の牧会者を招いてチームを構成するのです。

まだ教会はこのことが難しい傾向にあります。牧会者たちの専門性が開発されていないからです。神様のミッションを円満に達成するために、チームを構成することができ、またそのチームの構成員をまとめるのにも力が必要でしょう。ある人は同僚を呼んできて仕事を任せますが、たえず干渉します。それなら自分でやればよいのに、なぜ任せるのでしょうか？　そのようなリーダーシップ技術を開発できなかった人は、より大きな教会を牧会することができません。私がワシントン神学校に行った際の校長だったマイルズ先生――この方はギネスブックに大学以上の学校の総長として四十年間勤続した人として載りました、四十年間も総長をした人は世界でこの人以外にはいないということです――は八十歳のときに退職しましたが、私の事務室にたまにいらして私と話をしながら言ったことは、「私は教授たちがどうしているのか見ている暇がありません。時間的な余裕もなく、見る必要もなく、私は神様がただ私に与えてくださった使命を完遂するのに忙しいのです」。この総長の牧師は、ご自分のチームの構成員の創意力と率先力がとても働くように任せています。

大きな教会を牧会するには、「会長型」でなくてはなりません。会長は現場に出て回ることが仕事ではありません。会長は夢を見る人です。神様が見せてくださる夢を見て、その夢に対する計画を立て、自分とともに仕事をする人の心に感動を起こし、自分が見た夢を彼らにも見させるようにします。それだけでなく、神様が自分に見せてくださった夢を実現させるのに、その人々が志願して参加するようにさせる人が会長です。このようなリーダーシップ技術を開発すれば千人以上を牧会することができます。教会と牧師たちを分析してみると、絶対に正しいわけではありませんが、比較的にこの型になります。開拓教会を始めるときは六十五人ほどでしたが、その次のリーダーシップスキルに移行しなければなりません。最初のスタイルのままでは、大きな会衆を負うことはできません。教会員たちが増加するのに合わせて私たちのリーダーシップを変え、そこに合うリーダーシップを利用する必要があります。

ある牧師が私を訪ねてきました。その方は何千人も牧会をする有名な牧師です。私の事務室にお越しになり、ご自分の悩みを話しながら涙を流すのです。牧師がどれほど心を痛めていたなら泣くでしょうか！　その方の事情を聞いてみると、最初に牧会を始めてから二十年が経ち牧会をする間に教会が成長していくと、ご自分の教会員を一人ひとり把握できないというのです。あるときは役員までもよく分からないほどだというのです。最初に二百人ほどと一緒に牧会したときはその家の子どもの名前まで覚えていたのに、教会員が増加し始めてから、だんだん教会員との距離が遠くなるのです。牧者は自分の羊を知り、羊は牧者を知っているというのに、羊を知らない牧者がどこにいるでしょうか？　心が苦しくなります。羊も知らない牧者、私のような牧者でも牧者なのかという思いに悩み、アメリカに来てあまりよく知らない牧師の前でやっとその話ができたのです。

小さな教会を始めるときは教会員をよく知っています。神様はある人たちにリーダーシップをくださって多くの羊を率いるようにします。すると、私が牧者をするのかあるいは牧場を経営するのか決定しなければなりません。しかし、以前に牧者だったときのことばかりを考えて、今は管理することのできないほどに牧場が大きくなってしまったのに、数多くの羊の群れを見て私が牧者ではないと悲しみ、つらいと思うのです。皆さんもいつかは牧場の経営者にならなければなりません。それで牧場の経営者として牧者を多く連れてきて、羊を率いることができるようにします。せっかく牧会をするならば「神様、私に大きな牧場を下さい」と求めてください。

神様に、私たちに大きなものを求めることのできる信仰を下さいと言うべきです。せっかく伝道者になるなら、多くの人に伝道できる伝道者になれるように求めてください。

いつかはリーダーシップの水準を変えなければなりません。まるで車のギアを変えるように、出発するときと走っているときではスピードと道の状況に合わせてギアを変えます。このようにリーダーシップを開発するからこそ、多くの教会員に仕えて牧会ができるのです。ですから最も理想的な教会員数というのは存在しません。一人で牧会するなら百五十人ほどがよく、二、三人がチームになって牧会をするなら三百～五百人ほどが可能で、司令官のリーダーシップでは千人以上も可能です。理想的な数の教会というものはありません。牧会者がどのようなリーダーシップをもって牧会しようとしているのかにかかっています。

2　リーダーシップの正義

リーダーとはどのような人かを見てみましょう。様々な正義がありますが、それぞれがとてもよく似ています。一人が他の人に影響を及ぼし、その人たちをリーダーが設定した目標に向かって動くようにさせる能力がリーダーシップです。共通した目標を設定して多くの人がその目標に向かっていくように動かす人です。トルーマン大統領（Harry S. Truman：1945–1953 第33代アメリカ大統領）は、リーダーシップとは他の人を連れてきてその人たちがしたくない仕事を任せることのできる人、または他の人が嫌いな仕事をしながらも喜ぶことのできるようにさせる能力だと言いました。

中国にもこのような話があります。三種類の人がいますが、最初は動くことのできる人、次は動くことのできない人、最後にその両者を動かすことのできる人です。動こうとしない人も動いて、動くことのできる人も動くようにできる人がリーダーだということです。

まず、私たちはこれから牧会をし、活動する人として整えなければならない五つのことを話します。霊性、知識、人格、機能、そしてリーダーシップです。牧師に必要なのは聖書と神学の知識だけではありません。人格に支えられない人はリーダーとして不足しています。また、人格的な牧会者であり、伝道の能力、説教の能力等があっても、組織を動かす能力が不足していればうまくいきません。最終的には、ひとつの教会を動かしながら躍動感あふれるように発展させていくのはリーダーシップです。神学生のとき勉強もよくできて優しい人なのにもかかわらず、リーダーシップに欠けるので牧会がうまくいかない場合もあります。そういう牧師は多くの苦労をします。特に神学校時代には、リーダーシップとは何かについて理論を知り、周囲のリーダーたちを観察しながらよく学んで訓練し、リーダーシップに対する本も読んで研究しなければなりません。リーダーシップを知っている人と、全く知らない人が違うのは当然です。特に、聖書に登場するリーダーシップをよく観察しなければなりません。リーダーシップについて関心を持って研究と考察を必ずすることを願います。牧師たちは、避けることのできない人々を率いていかなければならないからです。結局、牧師はリーダーです。小規模教会でも中規模教会でも大規模教会でも、違いはあるかもしれませんが、牧師はリーダーです。聖徒たちを導いていかなければなりません。私たち個人の能力でやることではありませんが、私たちが勉強し開発したことを神様が用いてくださいます。

3　ビジョンの人

まず、指導者にはビジョンがなければなりません。夢を見る人です。自分が行くべき道を見る人です。目標があります。切実な祈りがあります。どんな概念でもビジョンでも目標がある人です。このような人々は静まってデボーションする時間があります。主が自分に聞かせてくださる明確な声を聞いて、見せてくださる未来の目標を明確に見ます。方向が分からず、ただとても忙しそうに主の前に行くのでは、主が下さる夢を見ることができません。旧約の預言者がどうしてあのように強力な人たちであったかというと、一人でいる時間に神様とただ二人でいたからです。

ヨセフは十七歳で神様が見せてくださる夢を二度も見ました。難しい環境の中でも彼は不満を一言も言いませんでした。モーセは死にたいと不満を言ったのにもかかわらずです。なぜなら、ヨセフはその夢があまりにも鮮明で確信的だったので、誰もどのような環境も揺さぶることができませんでした。兄たちが投げ込んだ穴の中でヨセフが耐えたのは、神様が確かに見せてくださった夢があるからでした。

ヨセフは穴から出されて奴隷として売られました。それでも夢があったので一言も不満を言うことはありませんでした。監獄に二年もいましたが、一言の不満も記録されていません。そこはリーダーシップを開発する訓練所でした。最後に彼は監獄長になるではありませんか！　このような人はどこにおいても問題がありません。なぜなら「私に見せてくださった私が行くべき道があるのに、どうしてここで終わることができるでしょう。神様が私に夢を下さったのに」と考えるからです。指導者は神様が下さった夢を見、ビジョンを見る人です。

私が初めて牧会したとき、神様が私に下さった夢を紙に書いてみました。詳細な祈禱課題がありました。今もその紙の内容を読むときがあります。夢はかなえるために存在するからです。それで興味深いことは、そこに書いてあるとおりに教会が歩んでいくということです。教会員たちはどこに行くのか分かりません。会議で議論をし、議題についてやるべきだ、やらないでおこうと討論はするものの、最終的には私が見た夢のとおりに一つずつ決定されていきます。あるときは、神様が私のノートに書かれた夢を他の方々が自分自身で見て、その人たちを通して神様が言われたようにします。

私は十三年間、韓国人のいない地域でアメリカ人に囲まれて牧会をして、神学校で教鞭をとりながら生活していました。それで神様は、私のことを韓国人のためには用いないと計画したのではないかと考えました。しかし一九七七年、現在の神学校に来てみるとその都市の周辺に四万人の韓国人が住んでいたのです。インディアナ州では教会の牧会、神学校、テレビ放送のためにとても忙しく暇がありませんでした。一九七七年になったとき、教会の牧会も神学校もテレビ放送もすべてを辞めて、私は他の教授のように大都市に行き教授生活だけをしたかったので、ワシントン神学大学に転勤してきてみると、韓国人がそれほど多かったのです。

あるとき、韓国教会から主日説教を初めて依頼されました。それまで韓国語で説教をしたことがないのに、昔持ってきた韓国語聖書を見つけ説教準備をして向かいました。韓国語で説教をしたことがないので、韓国語がおぼつかなくて英語と韓国語を半分ずつ使いながら、韓国語の単語が浮かばないときは教会員に聞きながら説教をしました。七〇年代は韓国移民教会が混乱の時代でした。どうして移民教会がこうなってしまったのかと考えると眠れなくなりました。眠っていてもハッと目覚めて祈っても涙が流れるだけです。「神様！　私たちの韓国移民教会はどうしてこうなってしまったのでしょうか?」　座って祈り、午前には講義をし、午後には事務室に帰ってきて祈って涙を流すだけでした。

あるとき、その日も講義を終えて事務室に帰ってきて伏して涙の祈りをささげました。「神様が韓国教会を手伝ってくださらないと、移民に来て建てた教会が混乱しているのに、どうするのですか?」 そのとき、私からこのような祈りが出ました。「神様。神様が私を韓国に送らなかったのに、韓国を私に送ったのですね。この韓国の民を私に与えてください。」このような祈りが私の気が付かないうちに溢れました。そのときから私の心に火がつきました。韓国教会に行くたびに福音を伝え、回心者が現れ始めました。教会が息を吹き返しました。

私は4・19の日(大規模な民衆デモによって李承晩大統領が下野した事件。四月革命)に死にかけました。警察が銃を私にめがけて発砲しましたが当たりませんでした。4・19の午後に市庁前広場に多くの学生が集まっていましたが、装甲車が私たちに向かって発砲しました。私と並んで立っていた学生が「あっ」と言いながら倒れました。右ひざに弾が当たり、足が折れて皮だけでくっついているのでぴくぴく動いています。私たちが逃げていると、また弾丸が飛んできて私の目の前の学生の右背中に当たり倒れました。皆が飛んでくる鉄砲玉と爆弾を避けようと逃げますが、私は徳昌宮の小道に走りました。徳昌宮の大門前に立ち、他の学生たちと一緒に振り返ってみると、警察の車が近づいてきており、一人の警官が鉄砲を持って私たちを見つめていました。私の目の前に学生が立っていましたが、私たちにめがけて銃を構えたので私は急いで目の前の電柱に隠れました。そのとき警官が銃を撃ち、私の前にいた友人のおでこに当たり即死しました。三度死にかけたのです。そのとき生き残った友人は、「なんで私は生きているのか？　私にめがけて飛んできた弾によって友人たちは亡くなったのに、なぜ私は生きているのか？　生きている目的は何だろうか？　友人たちが死んだことで終わらせることはできない。私を生かしておいたのは、この民族のためにやるべきことがあるのではないだろうか。だとしたら、これからやるべきことは何か？　今から準備しよう」。大学校の芝生に座って、4・19の意味とその後の措置に対する話をしました。そのときを振り返ってみると、今も私の心には、私たちの民族が神様の祝福を受けて生きている姿が見たいという強烈な願望があります。

今も牧会をしながら、教会員のために語る言葉の中にそのメッセージが含まれています。移民教会の問題は多く、難しいこともたくさんあります。しかし、移民教会の中にも韓国人が円満に教会生活をすることができることを見たいので、私たちも彼らを愛しながら良い教会共同体を作ることを見せてくださるように熱心に祈りたいと願います。韓国人社会は分裂を重ねて争っていますが、美しいキリストの愛で一つの群れとなり、イエス・キリストの福音を伝え、喜びと感謝の中でイエスを信じる韓国教会もあることを見せる使命が私たちにはあります。アメリカ全域に向かって、イエス・キリストの福音が死んだ魂を生き返らせるだけではなく豊かな人生を生きるようにできることを、この地で実現されることを見たい思いが今も心の中にあります。

私たちは夢を持たねばなりません。神学校に通う皆さんが、神様の御前で夜通し「主よ、私に夢を下さい。私にビジョンを下さい」と声を上げて望むならば、皆さんが牧会をするときにそのビジョンが広げられるでしょう。明確な夢を、具体的なビジョンを、確実な概念を主からいただき、書き留めて繰り返し思い起こすなら、そのビジョンがかなえられるでしょう。

最近、アメリカ社会で高級官僚たちを訓練するのに、自分のビジョンと使命と目標を紙に書けと言います。書いたものをよく確認し、自分が見る夢、目標が正確に書かれているかを確認してから、自分の机の前に貼ります。それを朝・昼・夜で一日に三回ずつ読ませます。私は自分の学生には四度読むように言います。起きてすぐ朝に読んで、昼食後に読んで、夕食後に読んで、寝る前に読むように言います。そのように、神様が私の胸に下さったビジョンが明確に書いてあり、また読むときにどのような現象が現れるかを知っていますか？　確かに目で見て繰り返して読めば、その内容が頭の中にぐっと刻まれます。ビジョンが頭の中に刻まれていると、興味深い現象がそのときから始まります。そのビジョンが自分を引き寄せます。そのビジョンには力があり、自分も知らないうちにそのビジョンに向かっていきます。私たちは牧会者として「神様、私の人生を通して成し遂げようとしているのはどんなことでしょうか？」と神様と向かい合って神様に祈るならば、神様がヨセフに見せてくださった夢のように私たちにも使命を下さいます。青写真を作って、詳しく書き留めて読んでみることを繰り返し、祈ることを繰り返し、考えて、黙禱してください。このように自分の心の中に見えるものが具体的で明確ならば、そのときから歴史は始まります。

私たちの教会で建築を始めるときにはお金がありませんでした。教会のリーダーを連れて広いトウモロコシ畑を眺めました。「皆さん、ここに教会が見えませんか？　ちょうどここが教会の入り口です。」私の手で空中に門を描きました。そのとき、私が見た夢をその人たちと一緒に共有しました。そのときに見た夢は彼らに伝達され、今は私たちが見たようにかなっています。その広い大地の上に教会が建ちました。神様が見せてくださったその夢を、教会員にも見せてくださいました。神様が難しいことを簡単に実現させていく姿を見ました。私たちは夢の人にならねばなりません。すべての偉大なことが心から、夢から始まります。偉大なビジョンなしに、偉大なことは起こりません。偉大な歴史は偉大なビジョンを前提とします。

そうなるために、想像力を十分に発揮せねばなりません。それは神様が与えてくださったものです。大きく考えなければなりません。適当に考えていてはなりません。偉大なことは偉大な夢から生まれます。偉大なことは、他の人にとっては到底言葉にならないようなことから生じます。神様が見せてくださるときには、そのまま実現できます。

4　創造的な人

創造的な思考力は重要です。創造の神様に、私たちに創造性を与えてくださるように求めてください。万物を創造されたイエス・キリストに求めてくださいそうすれば与えてくださると主は言われました。夢とビジョンと未来のために、皆さんの世代を動かさねばならないのです。過去と現在の牧会者や教授を土台として、より高くより大きなビジョンを見て、過去の経験を教訓に、矢をより高く、より遠くに飛ばしてください。未来を準備する人々は、現在よりももっと大きなビジョンを広げる義務があります。求めてください。絶えず求めてください。

いつか私たちが霊的な夢を見始めるとき、人生が情熱と満足と感謝で満たされ、多くの魂が救われることでしょう。神様の国がこの地に私たちを通して拡張していきます。神様は誰かを使おうと決心するからです。私たちの目・口・手・足を通して、偉大な使命が皆さんにあることを信じてください。

私たちが難しい環境の中でいることには、神様の大きな意味があります。神様が見せてくださる夢を見なければなりません。夢を見たら驚くばかりの歴史が起こります。神様は「あなたの口を大きく開けよ」と言われました。自分という人間よりも大きい神様の夢、神様の行うビジョンを見せてくださいと言いましょう。私たちが夢の人になったとき、リーダーシップが始まります。もちろん、それだけで良いのではありません。しかし出発はそこになります。自分が見た夢に自身が酔うなら情熱的になり、自然に他の人にその夢が伝染します。私たちが見た夢と情熱を通して、他の人に夢が感染し、彼らが夢を共有し参加するように導くのがリーダーです。

偉大な神様は人を通して、偉大なことを行います。アウグスティヌスを通して、ルターを通して、カルヴァンを通して、ウェスレーを通して、神は偉大なことをなさいました。一人ひとりが確かな夢を見る人になるなら、私たちの教会と世界の教会にどれほど偉大なことが起こることか、未来がどれほど前途洋々としているか分かるでしょうか。皆さんと私が、神様が下さった夢の人になるならばの話です。神様に求めてください。「私に火をともしてください。私に偉大なことを見せてください。」偉大な神様を見ることのできる皆さんになることを願います。

現代文明のすべてのことは、何でも楽に簡単に作られます。すべてがインスタントです。ホテルに行ってもドアの前に立てばドアが自動で開きます。なんと楽なことでしょう！　テレビはリモコンで遠くから消すことができるし、室内の電気も手のひらを叩くと消えます。ある卓上電灯は指で触るとつけることも消すことも可能です。すべてのことが単純で楽で、ベッドさえも病院のベッドのようにボタンを押すだけで上がったり下りたりします。インスタントコーヒー、インスタントうどん等々！　テレビ番組も夜の一時間で、人が結婚して離婚して他の男の人と出会い自殺して終わることもあれば、一時間で難しい国家的問題がすべて解決されることもあります。

すべてのことが簡単に、努力なしにその対価が払われない、インスタントな結果を期待する安っぽい社会になっていきます。お金も一攫千金を狙って、政治・経済・社会すべての面で多くの時間を努力と苦労と真の価値を作りリーダーシップを開発しないで、何でもインスタントを求めます。リーダーシップはそのようなものではありません。そのようなものを期待する人がリーダーになると詐欺をし、虚構と権謀術数で政治をすることもできません。なぜそうなのでしょうか？　リーダーシップを開発しないで、リーダーシップを開発した人の結果と実を食べようとするからです。これから未来に向かっていく皆さんのリーダーシップが着々と成長するリーダーシップでなければなりません。リーダーたちは小さなことから、誠実に煉瓦を一枚ずつ丁寧に重ねて、神様が私たちの中に下さる真の内的な資質を育てていく必要があります。

5　献身の人

リーダーシップの一つ目の素質は、リーダーは夢を見る人だと言いました。幻を見る人、ビジョンを見る人で、アイディアがすべてのリーダーシップの始まりだと言いました。でも、アイディアだけでうまくいくわけではありません。その次に、リーダーは献身した人である必要があります（He is a man of commitment）。この絶えざる献身は、確実な夢なしには生まれません。自分が見て、自分が感じたことが、神様が私に見せてくださるビジョン、夢だということが明確になるときに、それはなくなることがありません。ヨセフの夢のように頭に刻まれ、その夢に向かっていく不思議な力が湧いてきます。そのビジョンを見ながら、目標に向かって集中するその人は献身の人になります。

主からも聖書を通して何度も話されましたが、霊という単語を選択してみると、whole heartedness 全身全力で行うという意味です。集中力、完全な献身、神様が私に下さったビジョンに向かって全力を尽くすこと、ここにリーダーシップの姿があります。コロサイ人への手紙3章23節にも「何をするにも、人に対してでなく、主に対してするように、心から行いなさい」と言われています。

私たちはいつも主に目を留め、その方を見つめて生きていきます。私に誰もかまってくれなくても関係ありません。私にどうして監督が必要でしょうか？　神様が私の監督なのに……。

私たちの夢に対して献身的に集中すれば、すべてのことが簡単にうまくいくようです。きりは尖っていて穴を開けます。焦点が合い、集中力があるので、そこから驚くばかりの能力が溢れます。私は英語で「obsession」と表現しますが、即熱狂していくということです。

どのような人が幸せでしょうか？　夢中になっている人が幸せです。何であれ、何かに夢中になっている人が幸せです。アメリカではある人たち、特にティーンエージャーは車に夢中になり、毎日拭いて直して、自分の車が壊れたたった五十ドルの車であろうとペイントを塗り、ワックスで拭いて、飾りつけをします。車だけのために生きているようです。どんな男性が幸せでしょうか？　一人の女性に夢中になる人が幸せな人です。数人の女性に夢中になる人は本当にクレイジーです。ソロモンが女性問題で堕落して悩みの多い王になったではありませんか？

主を思う私たちも同じです。神様が下さった私たちの目標に熱狂しなければなりません。何かの目的のために自分の身体と心と魂のすべてをささげる人々の人生には緊張感があります。その中に高揚した活力（nervous energy）があります。目的に向かっていかなければならないからです。静かな中にも、その中に執着心があるのです。

無駄にできる時間はありません。時間が足りないのです。私自身も思うことですが、四十代にたどり着くまでは時間が多くあります。しかし四十代を超えてみるとどれほど早く過ぎ去るのか、いくら引き止めようとしても不可能なのです。だから心が急かされます。「これから私には二十年しか残っていないのだな。主のためにどの瞬間もたった一秒も無駄にできない。」なぜなら、今日の私の姿は永遠の歴史を記録する日だからです。永遠とは何か？　永遠とは今日です。永遠の瞬間です。今日の私は永遠の歴史を書いているのです。今日行ったこと、それが永遠のビデオに撮られます。今日私がやらなかったことも永遠の歴史に記録されます。いつか私たちの主がビデオをつけるとき、私たちの一生の歴史が一瞬も残さずすべて記録され現れるのです。一瞬は永遠です。かなえる夢は私個人の夢ではなく、神様が下さった夢をかなえるために、執着し、献身し、熱狂するのです。

私たちが神様のことばを伝えることも同様です。なぜ神様のことばに対する基本的な神学が必要なのでしょうか？　聖書論がどれほど重要でしょうか？　聖書に熱狂しなければなりません。みことばを篤く求めるとき、その中で神様のメッセージが湧き上がります。そして、そのメッセージを伝達されることで、教会員が神様の前で神様のみことばのとおりに、そのことばを行って生きていけるようにすることができるのです。

神様の御心は、信じる私たちが幸せになることです。神様のことばどおりに生きる人には、それ以上の幸福はありません。最高の幸福は神様の御心です。

みことばに対する献身、自分の夢に対する献身、また人に対する献身がなければなりません。

私たちリーダーたちには自分と会う人、知り合いになった人に対して徹底して献身する必要があります。その人が私の人生の中に入ってくるなら、その人は私の人生の中で自分から出ていかない一つの魂で、私と過ごしていく人です。ルツとオルパの違いもそうです。オルパは自分の状況を考えてもう一度嫁に行かねばと思いました。しかしルツは、姑を離れず最後までついていきました。人と人との関係において徹底して誠実で献身的であり、一度付き合うと永遠にその人を離さない姿、これこそが必要です。

私は教会員にこのように言います。「皆さんが私の人生の中に入ってくるのは自由です。しかし、私の人生から出ていくことは自由にできません。また皆さん、もし皆さんがどこかで『金牧師があなたを嫌っている』と聞いたらならばそれは嘘です。誰がどこでそういうことを言うのか分かりませんが、私が皆さんに約束することは、私は皆さんの中から一人でも嫌うことはないでしょう。私にどんな苦痛があっても、どのような苦しみがあっても、私は皆さんのためにいて、皆さんは私と共に私の愛を絶えず受けることに対して、確認したいと思います。だからもしどこかで『金牧師があなたを嫌っている』と聞いたらならば、それは絶対に事実ではないのでその言葉を信じないでください。」牧師たちは人間関係においてどれほど苦痛を強いられることでしょう！　一つの夫婦が一緒に住むだけでも苦痛があるのに、それほどの多くの人と仕事をするときにはどれだけの苦痛があるでしょうか！　だから、その苦痛を最後まで我慢してその人に善を行えるくらいの執着力が人間関係には必要です。

私もそのような経験を一度や二度しなかったわけではありません。牧師に不満がある人に不満を全部言ってくださいと言った場合、一時間半以上不満を言うのを聞いたことがありません。「もしかして他に言う言葉がありますか？」「全部言いました。」「ありがとうございます。そのように正直にすべてを私に話してくださって感謝するばかりです。そのような話を私にしなかったら、あなたの心情を私は知らなかったことでしょう。またその言葉を聞いて気づくこともあり、学ぶことも多くありました。私が言葉どおりにするかしないかは分かりませんが、参考にさせていただきます。」

神様が一人の人を私の人生に送ってくださるとき、その人がどれだけ私の気分を害そうと、牧師はその人に対して責任を負うのです。なぜ気分を害するようなことをするのか？　その人のうちに苦しみがあるからです。あなたの気分を害するのは、その人の中にある苦しみを表現することなのです。それに対して病気の人に「なぜあなたは咳をするの？」と言うでしょうか。ウィルスが体の中に入って咳をするのだと言います。病気の人は熱を出します。そこで問題の人々に接するときは、私たちが不快に思って嫌ってはいけません。神様がわざわざ私たちの人生の中に送ってくださったので、私たちは彼らに仕えるべきです。神様が私に下さった夢に対して献身があり、人に対して献身が最後まで必要です。

一度、私をとても悲しませる一人の人がいました。ローマ書12章を見ると、悪に善で返すようにありますが、善で返す気がしませんでした。ただ言い返したい気持ちになりました。嫌いにならないように努力するだけで、嫌いな感情は解決しませんでした。人は行動に移すことで感情が伴ってきます。嫌いだと考えることは感情なのに、感情は行動から生じます。

おかしいことを見ると笑いが出てきます。しかし何もおかしいことがなくても、笑おうとすれば笑うことができます。つまり笑うという行動をしてしまえば、感情が伴ってきます。愛の行動をしてしまえば、愛は伴ってきます。私たちは人々に徹底して、心から、一途にその人を愛することができるように献身し、執着すればよいのです。

一人が私をとても苦労させるので頭痛が生じ、どうしようもありません。よくよく考えたら「これを解決すれば私が勝利できるのに、あの人を愛することに失敗したら私は霊的に失敗してしまうだろう」。私があの人に負けたら――私を嫌う人は私と霊的に戦争するので――その人が私を負けさせ、私をみじめにさせるだけではなく、私はその人に操られてしまうのです。とにかくその人のことを考えると、食べた物も消化されないのです。良い家で、良いベッドに横たわっても、その人が寝付かせてくれません。勉強したいのに目がチカチカして、本を読んでも何が書いてあるのかさっぱり分かりません。すでに私たちは彼の奴隷になってしまっているのです。

それで私たちには、その人を愛するという決断が必要です。その愛するという決断は、敵を愛するということは、敵が愛せるくらいの段階まで到達したから愛するのではありません。無条件に誰でも愛するのです。そうすれば楽です。私は「この人のせいで私がこれだけ苦しんだから私が勝たねばならない。さてどうしようか」と思いながら、その人が一番好きだと思う本を買って「愛するAさん、私はAさんについて……と感じ、これから一緒に協力していきたいと願っています」と手紙を書いて送りました。そうしたら一週間後に、このような返事が来ました。「先生がこんなにも私のことを考えてくださっていると思っていませんでした。」それから私たち二人の関係が回復しました。

人に従うときにはルツのようである必要があります。Ruth〝clung〟to Naomi. 創世記2章にある「一体となる」の英語は「cleave」です。Cleaveという単語はルツ記の「cling」という単語と同じ意味です。二枚の紙にのりを貼ってくっつけるということです。一度くっつけば離れないのです。離そうとすれば破れます。人に対してこのような執着が必要です。これがまさにリーダーシップの資質です。ところが少しでも自分の損失になるならば、すぐに後ろに引こうとします。現代を low Loyalty 時代といいます。人と人の間に Loyal があるとは忠誠があるという意味です。現代は流動性の高い時代です。このように人間関係の Loyalty が少ない時代に、Loyal な人と会えばその人がリーダーになるのです。なぜそうでしょうか？ Loyalty がない時代に、Loyalty のある人に会うと人々はその人に従うのです。

このような献身と、自分の夢に対する献身と、人と人との間での徹底した献身を養えば、神様が皆さんをリーダーとして用いてくださるはずです。

6　コミュニケーションの開発

もう一つの資質は、意思疎通（effective communication）の機能をよく開発する人です。対話だけでなく、自分の言いたいことの意味を確実で効果的に伝えることのできる人です。これは夢や理想、さらに私が発見した神様の意味を理解して確実に伝えることです。神様が下さったビジョンを教会員たちと分かち合うと、彼らが着いてきます。人々が私の持っている夢を一緒に見ることができるように、私が見た夢に対して情熱が湧き起こるように、それを正確で、確実で、明確で、簡単に言葉にする能力を開発しなければなりません。重要なことは、あまり細かいことではなく、大きな原理を伝えなければならないのです。

説教をするときに詳細な内容も重要ですが、そのテキストを読んで詳しく学んで、全体のテキストが伝える根本的な原理を発見しなければなりません。それを見つけるとき——私の心を動かす心理を見つけたときに——その次の仕事がとてもしやすくなります。

ネヘミヤ記９章を見ると、イスラエルの民はあれほどに反発して、不従順で、自分勝手だったにもかかわらず、善い方である神様は彼らに対して最後まで見放さず、慈悲深く、あわれみを与えてくださいました。偉大な神様が、イスラエルの民のために何度も助けてくださり、何度も許すことが歴史に登場します。「慈悲の神様」「あわれみの神様」と説教のタイトルをつけようかと思いましたが、「慈悲深い神様」とするととても聖書的になるので、私たちに合う単語は何かを考えました。讃美歌に「主は素晴らしい（God is so good）」という歌があります。いつでも簡単に歌える歌なので「善い神様」にしようかと思いましたが、それならば「とても善い神様」にしようと思いました。「とても善い神様」——説教の途中でその賛美をすることができるし、そうすれば神様の善良な御心や善さが現れるので、それは聖書の本文に現れる重要な概念です。

私たち教会員がこのように善い神様の姿を見つめるなら、どれほど良い事でしょうか？　私たちには罪があり、足りなく、神様に逆らいましたが、愛の執着力をもって最後まで私たちに善を下さる、その神様を教会員が見つめるなら、どれほど励ましになることでしょう！　私が経験したこと、私が見た善い神様を、皆が見ることのできるように伝えることが私たちの責任です。

効果的な会話ができる人になるために、私たちは正確に知る必要があります。自分がしようとしている仕事について詳細に研究し、明確に知らなければなりません。例えば、罪が何かについて知る必要があります。罪論を何年も教えていると、罪について細かく知るようになりました。そうすると、教会員が何をしても嫌いになりません。罪性というものがどれほど恐ろしいものか、どれほど人間を苦しめるものなのかを知ると、今は教会員を見て泣きたくなるだけで、倒れた人を見て招き入れたくなるだけで、罪を犯したからといって彼のもとに行き非難したい気持ちはなくなりました。誰がどんな失敗をしても、理解できるようになりました。全的に堕落した人間の心の内にある罪や救いや神様や人間や教会や……このような真理に対して神学的に明確に知って、私の心と頭の中に知識としてこの永遠の真理に対する明確な理解があるときに、教会員たちに正確に伝える土台になります。

それだけでなく、私たちの心の中にあるもの、私たちが感じるものを正直に言葉にすることを知っておくこと、また自分だけが正直に話すだけではなく他の人が正直に話すことを尊重することを知っていることが、対話には必要です。そうでなければ、私が言いたいことだけを言って、相手から私に正直に話すことを受け止めることができません。なぜなら、私が苦しいからです。

相手から正直に話すとき、もしも私にとって良くないように話すとしても、それを聞くことができるとき、対話になるのです。

このような人がいます。「先生、私は正直なので考えたことをそのまま言います。」「はい。おっしゃってください。」そこで正直に話します。ところが正直な話を聞いたら気分が害され、悲しくなります。しかし、「ありがとうございます。正直に心情のままに話してくださって」と言ってください。なぜでしょうか？　その言葉を発しなかったら、牧師としては大きな問題を残すことになるからです。その人は痛みを伴った心情、悲しみの心情、怒りの心情を牧師に話したので、そのときから大丈夫になるのです。まるで圧力鍋のように、無理にふさぐと爆発します。そうしたら、教会の半分以上の人々が出ていくのです。自分が正直で相手も正直なときに、受け止めて尊重するなら、本当の会話ができ、お互いに心が通じるようになります。

また、対話をするにあたって、対話の内容を正確に理解し遂行しなければなりません。ある人はとても精密に研究した結果、詳細な内容に執着し、残りの重要な流れを分かっていない傾向にあります。いつでも、その主題を正確に把握しなければなりません。説教をするときも――詩篇1篇であっても百ページもの本が書けるのに――詳細な部分に固執して主題や重要な概念、論点を落としてしまう可能性もあります。リーダーはいつでも静かに聞いて主題を捕捉するのです。

よく聞く必要があります。

本当に必要な情報と、それほど必要でない情報をどう区別しますか？　説教するとき註釈や詳しい内容は置いて、柱だけを伝えればよいのです。若い牧師たちの説教を聞いてみると、習ったばかりのギリシア語を講壇の上でさっそく使うようすを見ることがあります。註釈の目的は重要原理を、神様の永遠の真理を探すことです。註釈自体が目的ではないのです。あるときは説教が註釈に押しつぶされて方向を見失うようすを見ることができます。重要概念を探す練習をしなければなりません。いくら難しいことも、一番簡単で明瞭に話せなければなりません。それがリーダーの使命です。大部分の人は平均的な人です。五パーセントはとても卓越していて、五パーセントは少し物足りなく、八五～九〇パーセントは平均的な人なのです。そのような人々に複雑に話すなら、伝えることはできません。簡単な言葉に置き換えていくときに対話が成立します。

その次に重要なことは、聞くときに卓越する必要があることです。つまり耳を開発するのです。牧師は特別に口よりも耳が開発されていなければなりません。ヤコブの手紙1章19節に「人はだれでも、聞くのに早く、語るのに遅く、怒るのに遅くありなさい」と記されています。口は遅く、耳はよく開発されて、牧師の耳はロバの耳である必要があります。よく聞く人になるのです。確実に聞く人です。ゆっくり聞く人です。その人がリーダーです。それができなければ、有用な情報を分別することができません。大部分の問題は――家庭、教会や教界の問題も――誰も聞こうとしないで、誰もが話したがることです。話す途中で、そうではないと言って遮って、聞きもせずにそれは間違いだと言います。最後まで聞いて話すこと、最後まで聞く人がリーダーです。聞くことが話すことよりも重要です。

それではどうしたら良いでしょうか？　五つの方法で聞きます。

まず一つ目は耳で聞くことです。これは最も単純な真理です。

二つ目は目で聞くことです。目で聞かなければ、その人の本意を把握することができません。その人の話す表情や目つきや顔の筋肉を見なければなりません。どの筋肉を動かしているのか把握するのです。「先生、私は愛しています」と言葉では愛していると言いながら、筋肉はそうではないようなことがあります。ですから、目で見ながら言葉の裏にあるその感覚、感情、表情を見なければなりません。教会の牧会をしてみると、人は相手の顔や目をまっすぐに見ながら話すことを恥ずかしく思うようです。

三つ目は頭で聞くことです。その言葉の意味が何かを考えながら聞くのです。

四つ目は口で聞くことです。どうやって口で聞くのでしょうか？　「あ！　そういう意味ですか？」「いいえ。私が話そうとしているのはそういうことではありません」「それではどういう意味でしょうか?」「~ということですね」「はい! まさにそういう意味です」「はい、理解しました。そうですか? どうなったのですか? 残念です……」このように、相手の話す意味を明確に把握する必要があります。

最後に、心で聞くことです。耳だけで、目だけで、頭だけで聞くのではだめです。人の心を理解するのです。その人の内面にある、隠された感情を把握する必要があります。皆さん方が聞くとき、その人の胸の内にある感じ方を理解したら、それは本当に聞いたことになります。感情移入(Empathy)するということです。私がその人の立場に立って、その人の苦しみを感じながら聞くのです。私が感じたものをイエス・キリストはそのまま感じてくださり、私が体験した苦痛をそのまま担ってくださるので、私たちが主の前に出て、泣きながら祈り、心情を吐露するなら、心に平安がやってくるのです。私たちの主は、途中で干渉することがありません。「おい! なぜそのように話すのか? それではだめだ。なぜそのように感じるのか? それで怒るのか。」イエス様はこのように叱責することがありません。私たちの主は最後まで夜通しであっても、聞いてくださいます。それで私たちが主の前で祈ることを喜ばれるのです。

この世界では聞こうとする人はあまりいません。聞こうとする人がいたら、その人の周囲には人が集まります。その人に会いたいし、その人と話をするだけですっきりするので、その人にまた会いたくなります。また訪ねたくなります。私の話を聞いて理解してくれるからです。

教会員の問題点や苦しみのために出かけて行って、長い時間問題を全部聞いて、最後にみことばを伝えて祈ったのちに、その人の魂が明るくなる姿を見ることがあるでしょう？　その人は平安を回復したのです。その反面、牧師は家に帰って苦痛を経験します。一週間抱えるのです。このような経験がおありでしょうか？　それが贖罪です。イエス・キリストが私たちの代わりに苦痛とすべての罪を担ったように、牧師やカウンセリングも同様です。教会員が牧師に自分の苦しみをすべて吐き出しますが、牧師はそれを抱えて家に帰るのです。

私もそのようなときがありました。その教会員はそのときから大丈夫になるのに、私は一週間それを抱えるのです。誰かがその苦痛を抱えてくれないと生きられないので、共感して聞いてあげないとその人は治らないのです。

一度、ある女性が私と相談をしているときに、私に「先生、私は先生に全部話したにもかかわらず心が楽になりません」と言うのです。大部分の場合、最後まで聞いて質問して問題を正確に理解して、三十分なり二時間なりの相談をしたら教会員は生き返ります。そのときは事実上、私がきちんと聞かなかったのです。その方が話すとき、他のことを考えながら聞いていました。それでその女性は、その私の聞き方に気が付いていたのです。私は彼女の言葉遣いばかりが気になり、彼女の痛みに共感していませんでした。それが間違いだったのです。聞くときには心から聞かなければなりません。特に、牧会者は聞くことの専門家にならなければなりません。そのときにリーダーになるのです。そのような牧師を人々は慕おうとします。自分を理解してくれる人だから、それで説教をしても会うときにも、その方の心情をよく理解できるので、メッセージを確実に合わせていくようなリーダーになれるのです。

また、繰り返し意思伝達することが必要です。人は二度聞かないと聞いたことにならない傾向があるように思います。二度同じことを聞けば、すでに聞いたことがあるので記憶します。一度だけ聞いたことは四日過ぎれば八五パーセント忘れます。それで霊的に重要なメッセージがあり、原理があるなら、反復して話す必要があります。私たちのイエス様も「まことに、まことに（イエス様は話すことがなくて繰り返したと思いますか？　聖書に紙が余ったのでまことにを二度書くのではありません）というのはアーメン、アーメン、これから私が話そうとすることはとてもとても真理なので、とてもとても重要なメッセージなので、皆さんが信じられないことでしょう。それで気を確かにして聞いてください」という意味で話すのです。

「まことに、まことに、あなたがたに言います。……永遠のいのちを持ち」――「永遠のいのちを持つ」とどんなに言われても、聞こえていないのです。福音のことばを聞いて、イエス・キリストを受け入れた人はすでに永遠のいのちを受けた人なのに、受けたと言われているにもかかわらず聞こえないのです。それでイエス・キリストは「まことに、まことに」と言うのです。「さばきにあうことがない」というこの真理が、「まことに、まことに」と反復されて聞くと確かなものになります（ヨハネ5・24）。

ムーディ教会の牧師であったウォルビー・チャップマンの有名な話があります。チャップマンが若いころ、ムーディ先生が説教をしているところに訪ねていきました。ムーディ先生は救いの確信について説教をしたのですが、チャップマンは救いの確信がありませんでした。それで終わるとムーディのもとに行き、「私はクリスチャンですが、救いの確信がありません。永遠のいのちについて自信がありません」と話すと、ムーディ先生はヨハネの福音書5章24節を読むように言いました。全部読み終わるとムーディ先生が尋ねます。「イエスを信じますか？」「はい、信じます。」「それならば、あなたは永遠のいのちを得たと信じますか？」「それが分からないのです。」「ヨハネの福音書5章24節をもう一度読みなさい。『まことに、まことに、あなたがたに言います。わたしのことばを聞いて、わたしを遣わされた方を信じる者は、永遠のいのちを受け、さばきにあうことがなく、死からいのちに移っています。』あなたは本当にイエスを信じますか？」「はい！　いつも、今までも、信じてきました。」「それならば、あなたは永遠のいのちを信じますか?」「先生、その確信がありません。」「もう一度読みなさい。」「まことに、まことに……」「信じるか?」「私は信じると言ったではありませんか?（How dare you doubt God?）神様が永遠のいのちがあるとおっしゃるならあるのだ！」と叫びました。そのときになって正気を取り戻したのです。小さな人間が、神様があると言えばあると信じればいいのに……。

その後、ウォルビー・チャップマンが牧師になり、アメリカの有名なリバイバルメッセンジャーとして行く場所では、必ずヨハネの福音書5章24節を最期まで教えました。彼を通して何人ものアメリカの人々が、救いの確信を受けるリバイバルメッセンジャーになったのです。

繰り返される意思伝達！　本当に重要ならば話を何度も繰り返す、そのときに人々は理解します。リーダーが持っている夢は複雑であってはいけません。簡単な事柄を話し、また様々な方法で彼らの前に明瞭にしていくのです。再確認をします。このようなときに、全教会が目標に向かって動くようになります。「それは二年前に私が言ったではありませんか」と思うかもしれませんが、それをたった一度言うだけではなりません。

十五年間結婚生活をした妻が自分の夫に、自分を愛しているのか、そうでないかが分からなくなり、心が痛んだので問いただしてみました。「あなた！　私を愛していますか?」「私が愛していないならば、なぜここにいると思うのか?」「それならば、なぜ何も言ってくれないのですか？」「私たちが結婚した十五年前に愛していると言ったじゃないか。私が心変わりしたらそう言ったに違いないだろう。」妻たちには結婚前に一度言うだけではなく、時々言わなければ本当だとは思いません。何度も繰り返し意思疎通が必要なのです。

次に、メッセージを強力に、とても劇的に伝えなければなりません。アメリカで大統領候補を選出する党大会をすると、市場のようにガヤガヤします。数万人が一か所に集い、演説を聞きますが――ある演説者は演説がよくできないのでとても退屈です――数秒の間に関心を引くことができれば、そのときから聞いてもらえます。しかし、そのときに関心を引くことができなければ終わりです。一度はドクスンという共和党の上院議員が登場し、分厚い原稿を取り出して振り回しながら「This is my speech（これが私の演説です）」と言うと、人々は「大変なことが起こった。いつあれを全部聞くのか」と考えました。するとそのとき「let me tell you（私に話させてください）」と言いながら、自分が書いた数十枚の演説文を聴衆席に向けて投げてしまいました。すると場内は彼の劇的な姿に魅了されました。そのときから、うるさかった聴衆は彼の演説に息をのんで聞き入りました。

ある牧師が説教を準備して三十分間読みました。終わって門で握手をしながら挨拶をするのですが、あるおばあさんが来てこのように言いました。「先生、説教を読まないで、私に話してください。」なぜ説教を読み上げるのか、私に直接話してほしいということでした。もし私たちが書いたものを読もうとするときに、ただ作文のように書いたなら効果はありません。その人に直接語り掛けるように書かなければなりません。対話文で書かなければなりません。この分野の第一人者がアメリカのチャック・スウィンドル牧師です。彼は書いたものを読むときに、自分が教会員に話す文体のままに書いていました。

あるとき「だれに対しても、何の借りもあってはいけません。ただし、互いに愛し合うことは別です。他の人を愛する者は、律法の要求を満たしているのです」というローマ人への手紙13章8節のみことばで説教をしました。説教準備をしていると、教会員に一ドルの借金をしたことを思い出しました。訪問をした帰り道で有料道路の料金所で通行料がなくて借りたお金です。二か月が過ぎてすっかり忘れていたのです。借金をしないようにというメッセージをしようとしているのに、私自身が借金をしているのではどうしようと良心が痛みます。それで、説教が終わる前に返さなければと思いました。それで「ミセス・リー、二か月前私に一ドル貸してくださったのを思い出しました。牧師が借金をするなと言いながら、借金をしたことを謝ります」と言いながら、一ドルを取り出し、講壇から降りて借金を返してから戻りました。全教会が笑いに包まれましたが、私がその時間に借金を返したので、借金は返さなければならないというメッセージが積極的に伝達されたのです。

神様が人間を造るとき、なんと素晴らしくお造りになったことでしょう。世界中に人間のように巧妙な存在がどこにいるでしょうか！　私たちの可能性は限りないものです。私たち人間は大部分が自分の可能性の三分の一さえも一生のうちで開発することができません。ある人は速読をすれば三百ページの本を二、三時間のうちに読み切り、内容も記憶しています。訓練を受ければそうなることができる、ということでしょう。

私もアメリカに行って学ぶときに大変でした。どうしてあれだけ多くの宿題を出すことか、辞書を引きながら読むのですが、いつ全部読むのでしょうか？　どうしても勉強についていくことができず悩んでいるときに、速読の訓練に関する本があったので購入しました。それでどのようにして速く読むことができるのかを学び、何度も繰り返していると、速読の技術が少し身につきました。つまり開発すると、私が過去に読むことのできなかったころよりも何倍も速く読むことのできる能力が現れたのです。暗記力も同様です。以前はとにかく覚えようとしたのに、暗記力の開発プログラムを試してみると試験時間がどれほど楽なことか！　いくらでも私たち自身を開発できる可能性があるのです。開発することを望み、より発展することを望むなら、継続して前進することができます。

私は教会員にこのように話したことがあります。「皆さん、皆さんと私は絶対に老いていかないようにしましょう。老いていかず、私たちは時間が経つ毎に良くなりましょう。」時間が過ぎるごとに、私たち自身に対して開発を推進していくために継続して努力しましょう。

例えば、神様が私たちに下さった声、その可能性は素晴らしいものです。小声（ささやき）から始まって大声を発するまでこんなにも幅があるのに、なぜ最初から最後まで単調に説教をしなければならないのでしょうか？　神様が私たちに大きな幅を下さって小声から大声まで、またその中間も使うように下さったのに、なぜ開発せずに同じ音域だけを使うのでしょうか？　声の開発だけではなく、私たちの筋肉も同様です。顔には数百の筋肉があります。それなのに、なぜ一つの筋肉だけを固定して使うのでしょうか？　説教者として怒りを表現するときには怒りの筋肉を、喜びを表現するときには喜びの筋肉を、悲しみを表現するときには悲しみの筋肉を使うように、顔に筋肉を備えてくださったのに、なぜ一つや二つの筋肉しか使わないのでしょうか？　私たちの手も、こちらにもあちらにもブンブン振り回すことができますし、多くの振幅を私たちに備えてくださったのに、なぜ片手だけを前にして使うのでしょうか？

神様が私たちに無限の可能性を与えてくださいました。神様は無限の神様なので、私たちを無限に造られました。ですから、隅々まですべて開発されるときに、神様がどれほど満足されることでしょうか！「おい、少し上達したのだな！」「少し良くなったのだな！」「より成熟したのだな！」特に私たちがコミュニケーション技術を開発するのを、神は喜ばれます。

また意思伝達を聞く人を中心にしなければなりません。私が望むようにではなく、聞く人がどんな人かによって、その人に合うようにするのです。使徒パウロも、自分はこのようにもあのようにもなれると言いました。イエス・キリストも同様です。パリサイ人や悪人のために机をひっくり返し、鞭を作ってすべてを壊しました。一方で、姦淫で捕まった弱い女には「女の人よ、彼らはどこにいますか。だれもあなたにさばきを下さなかったのですか。……わたしもあなたにさばきを下さない。行きなさい。これからは、決して罪を犯してはなりません」（ヨハネ8・10～11）とおっしゃいました。極度の柔らかさがある反面、鞭を持って振り回すときには恐ろしい獅子のような主です。そしてまた、羊のように柔らかくなれる幅を見せてくださいます。

私たちが円滑な意思伝達をするためには、私が見つけた真理に対して、私が見た夢に対して、夢中にならなければなりません。そうすれば、その夢で食べ、その夢で寝て、それ一つのために生きるので、伝染病にかかったように、神様が私に下さった永遠の真理が他の人々にも伝染していくのです。私たちは執着力を持って、献身した人になるだけではなく、意思伝達がよく開発された人になるときに、神様が私たちを用いてくださいます。

リーダーシップは事実上、とてもとても求められるものです。リーダーシップの資質を開発しないから問題なのであって、リーダーシップを養われた人はどこでも必要だからです。私たちの教会で、副牧師たちを求める過程において何度も見ました。牧会学博士号や神学修士号を得た人は多くいますが、無から有を創造し、見えないものを見て、動かない世界を動かしていけるようなリーダーを求めることは大変難しいことを知りました。

今日の時代において、学識の高い人も必要ですが、学識が高くかつリーダーシップのある人が必要です。敬虔な人が必要です。敬虔な人がリーダーシップも持ち合わせているのなら、多くの人を敬虔にさせることができます。牧会の技術がある人がリーダーシップも持ち合わせているのなら、それを通して偉大な神様の導きを招くことができます。砂漠に花を咲かせることができます。何もない石板の上に偉大な導きを起こすことができます。小さく始めた開拓教会を大きな神様の導きで展開することができます。すべてのことがリーダーシップにかかっているということを私は改めて切に感じています。私たちがリーダーシップに対する焦点を合わせて何年も開発していくうちに、リーダーシップが成熟していくなら、いつの日か神様が私たちを通してゴリアテをたたきのめす導きを起こすことでしょう。

7　敬虔な生き方

リーダーシップの資質の中の一つは、徹底した敬虔な生活です。尊い生き方です。サムエルを見て大きな印象を受けます。サムエル記第一12章です。

「サムエルは全イスラエルに言った。『見よ。あなたがたが私に言ったことを、私はことごとく聞き入れ、あなたがたの上に王を立てた。今、見なさい。王はあなたがたの先に立って歩んでいる。私は年をとり、髪も白くなった。そして、私の息子たちは、あなたがたとともにいる。私は若いときから今日まで、あなたがたの先に立って歩んできた。さあ今、主と主に油注がれた者の前で、私を訴えなさい。私はだれかの牛を取っただろうか。だれかのろばを取っただろうか。だれかを虐げ、だれかを打ちたたいただろうか。だれかの手から賄賂を受け取って自分の目をくらましただろうか。もしそうなら、あなたがたにお返しする。』彼らは言った。『あなたは私たちを虐げたことも、踏みにじったことも、人の手から何かを取ったこともありません。』サムエルは彼らに言った。『あなたがたが私の手に何も見出さなかったことについては、今日、あなたがたの間で主が証人であり、主に油注がれた者が証人である。』」（Ｉサムエル12・1〜5）

サムエルが自分の民を集めて言ったのは、「皆さん、私をよく知っているではありませんか！

私は幼いころから今まで一生を皆さんの前で生きてきました。私の人生は一つの開かれた本です。皆さんがすべてを探ることができるからといって、すべてを知っているということではないでしょう？　私がここにいる。私の人生を見よ！　生きてきた私の人生を見よ。私がもし間違ったことや誰かに詐欺をしたり騙したり、誰かを抑圧したとか、誰かを害した生き方をしたことがあるか」。これはどういう意味でしょうか？　サムエルの人生に敬虔があるということです。主日と月曜日が同じです。祈禱会に参加しているときと金曜日の夜が同じです。礼拝時間と外で仕事をしているときが同じです。どこにおいても一貫性をもって徹底した敬虔な人生を生きることです。サムエルの言葉で自分のことを見よ！

だいたいの牧会者が、牧師の按手を受けたことで権威を立てようとします。「私が油注ぎを受けたしもべだ。」それが権威ではありません。牧会者の力、権威はどこから来るのでしょうか？　敬虔な生き方から来るのです。主がイスラエルの民のために語ったことばに「あなたがたは聖なる者でなければならない。あなたがたの神、主であるわたしが聖だからである」（レビ記19・2）とあります。サムエルのように「私の人生を見てみよ。私はだれかの牛を取っただろうか。だれかのろばを取っただろうか。だれかを虐げ、だれかを打ちたたいただろうか。だれかの手から賄賂を受け取って自分の目をくらましただろうか」ということです。ですから、その国民が「あなたはそうであったことはない」と言うと、サムエルは彼らに言いました。「さあ、立ちなさい。

私は、主があなたがたと、あなたがたの先祖とに行われたすべての正義のみわざを、主の前であなたがたに説き明かそう……」（Ｉサムエル記12・7）。ここまでくると言葉が通じるのです。それで講壇からの牧師の言葉はなめらかで、祈るときにも「主よ、アーメン」と言うのに、講壇から降りた通常のときに見ると、その人を信じることができません。牧師が遠くにいるときにはとても良いのに、近くにいてその方の人生を見るとどこか違うのです。

ある教会員が私にこのような話をしました。「金先生、私は役員にならなかったらよかったのにと思います。」「なぜそう思うのですか？」「私が役員になる前までは、先生の説教を講壇の下から聞くときにとても恵みになり、話されることが尊くてどれほど尊敬していたか分かりません。しかし、私が役員会に入って牧師と近くで仕事をしてみると、その牧師が本当にそうであるか分からなくなりました。」もちろん、まだその役員が未成熟のために信仰的な目が足りなくてそうであったのは事実です。しかし、近くで見ると到底尊敬できなくて遠くから見ると尊敬できるような牧会者であるのならば、つまり顕微鏡で見てみると到底その人の人格を信じることができず、遠くから見ることでやっと聖く見ることができるならば、私たちのリーダーシップを発揮することができません。近くで一緒に一か月を過ごしても、その人が本当に神様を愛していて、本当に福音を愛していて、この方こそ全世界が否定的に生きたとしても、誠実に主の御前で従順に生きていこうとしているのだなと、もっと感動をもって受け入れられる人！　そのようなときに、その人の言葉が人々の心を動かします。

私が知っているある牧師に、外見だけを見ればあまりかっこよくない方がいます。言葉もそんなにすらすらと話さないし、静かな方ですが、どれほどよく牧会していることか分かりません。それで教会員に尋ねてみました。「あなたの教会の牧師を、皆さんはどう思っていますか？」そうすると「本当に真実な方です。正直で淡泊です。そして敬虔な方です。何一つ否定的な部分を見つけることができません」と、みな口を揃えて答えるのです。実際にちらっと見るだけでは、いったいその方がどのように牧会をしているのだろうと思いますが、不思議にその教会には人々がこぞって集まるのです。その方の敬虔な姿、祈りの生活と語る言葉の中から感じられる敬虔な生き方、そこに牧会者の能力があるからです。

敬虔な神様の姿を見つめて、敬虔に生きようとする必死な努力をし、歯を食いしばって一歩も悪に妥協しないで、ただ黙々と他人から見れば損をしているようでもそのように生きることは、みことばの通りに生きることなので、目をつぶって一途に生きていくその姿にこそ牧会者の能力があるのです。そのような牧師たちは、説教が多少物足りなくとも、教会員が認めてくれます。このような方がひとこと言えば、うなずきながら聞きます。

敬虔な姿はあるものの、敬虔の力はない状態でした（Ⅱテモテ3・5参照）。もちろん教会政治をうまくやれば、教派の中で名のある仕事をすることはできます。しかし、神様はそれを見るのではありません。お金がなくても、敬虔な姿を見るのです。クリスチャンが生きる道は日曜日も火曜日も同じ生き方、講壇の上も講壇の下も同じ生き方、一貫性のある敬虔な姿だけが希望があります。一貫性のある敬虔な人生を生きるとき、特にその口から出る言葉、その方のリードする道を教会員たちがついていきます。私の中のどこに罪があるか、どこが曲がっているのか、精密に検討して、小さな悪の根があったならば、炎のような神様の前で私の人生の中で間違いがあったならば、一秒も躊躇しないで、「主よ、私の罪を赦してください！」と告白しましょう。

敬虔の練習をしなければなりません。そうすると、皆さんの教会員が皆さんに会って一緒に遊び、話をして、家に来て住んでもなお、あなたが本当に敬虔な人であることが分かるのです。どこか隅っこに悪が入っていたとしたら徹底して取り除かなければなりません。そのとき、神様が偉大な力をその中に起こしてくださり、そこにリーダーシップが現れます。

そのために重要なことは、敬虔な時間（Quiet Time）です。ギリシア語やヘブル語をよくできるからといって神様が大きく用いてくださると思いますか？　私たちの魂がきれいになるとき、神様の聖霊が無限な力で働かれることでしょう。心臓麻痺はなぜ起こるでしょうか？　血管の中のコレストロールがとても多く、脂っこいものを多く食べると血管が詰まります。血が血管を通らなければならないのに、血管が狭いため破裂して死ぬのです。血管がきれいになっていなければなりません。そうすれば血がサラサラと流れるのです。血がすべての栄養素を隅々まで届けます。それなのに血管が詰まれば栄養が届きません。

これと同様です。神様が私たちの人生に働かれるのは、私の人生と私の魂がきれいになるとき、何一つ詰まっているところがないときに聖霊が私を通り管として使ってくださり、あふれ出すその透き通った血が隅々まで届くところまで栄養素を供給し、人生を生かすのです。徹底した敬虔な生き方。誰も分かってくれなくても構いません。主だけが私を認めてくだされればよいのです。ここにリーダーシップがあります。

自分の姿そのままで足りないのなら、足りないことを認めればよいのです。どのようにカバーしてみようかと、またそうでないふりをしようとして……そうする必要はありません。「私が私であることは神様の恵みです。」私が私であるそのままで、飾らないときに人々は私を信用します。そして、そのような人がリーダーになるのです。自分を隠して目くらましをすると、どんなにリーダーシップを発揮しようとしても数日ともちません。

英語にこのような言葉があります。「You can fool some of the people sometimes. But you can not fool all the people all the time.」私たちがある人を二分の一回だますことができても、毎回だますことができるのでしょうか？　できません。言葉で表さなくても見れば分かります。感じるものがあります。それがコミュニケーション全体の八五パーセントです。人々は気が付いていないふりをしますが、心の中では相手の思惑を知っています。敬虔な生き方、人が見ているからではなく神様の前でただ正直に生きる人、少しの間違いをしてもすぐに認めて悔い改める人は、そのリーダーシップが認められることでしょう。尊敬しないでと言っても人々に尊敬されます。その方は本物です。少しの不足があっても、ありのままの姿を見せる人々、人々はこのような人々を認めます。ここにリーダーシップの資質があります。

毎日家で敬虔な生活をしてこそ、主日に教会に来て恵みを受けます。しかし、一週間一食も食べずに主日に来て礼拝をささげながらやっと一食を食べようとしたところで、牧師がご飯を焦がしてしまいました。こうなったら、二週を空腹で過ごすことになりかねません。それで、教会に来ても神経質になり、家に帰っても文句を言い、役員会をしても揉めるだけです。ですから、毎日敬虔な生活をしている人々は家でも十分に食事をとるので、牧師が少しばかりまずいものを食べさせても「アーメン」と言うのです。自分がすでに満たされている人は、牧師がご飯を少し焦がしたとしても何か大きな問題になるでしょうか？　そういうわけで教会員たちは毎日、敬虔な生活をしなければなりません。

キリスト教の真理の中で最も重要なもの一つに、人間の救いがあります。救いの確信が生まれなければなりません。救いの確信は自動車にエンジンをかけるのと同じようなものです。それがないままに教会生活をするなら、まるで自動車を手で押して進むようなものです。進みはしますが、どのくらい進むことができるでしょう？　進むのに疲れます。しかしイエス・キリストの血潮で罪を赦され、永遠のいのちを得て、イエス・キリストが自分の救い主である確信が生まれるなら、エンジンをかけているのと同様です。信仰の成長は救いの確信なしにはありえません。それで、福音を正確に教えて、救いの確信になる聖書箇所を暗唱しておけば、信仰が成長できる出発になるのです。救いの確信の次に大事なのはデボーション です。

毎日主の前でみことばを読み、私の魂をきよくし、みことばから気づき、従うことを知り、力を得て祈る訓練ができている人は成長していきます。しかし、聖書を正しく読まず、一週間に一回牧師の説教で免れようとする人々は、力を働かすことができません。霊的な成熟がなく、このような人は貫禄だけが大きくなります。「私がこの教会の創立メンバーです」「私が初代長老です」……教会の問題事はそこから発生しているのです。敬虔な生活が毎日ある人々は成熟していくので、教会に来ても問題を起こしません。教会に問題を起こすときには、敬虔な生活はありません。数日空腹のままか、数か月空腹のままの人々です。

牧会者として個人的に見るとき、これはとても重要な問題です。私の生活に敬虔さがあってこそ教会員が皆さんを尊敬し、そのリーダーシップに従おうとします。

教会員が敬虔な生活を維持するなら、五つの面で変化が生まれます。

まず一つ目に、主日中心の信仰から毎日中心の信仰になります。主日だけ教会員で、月曜から土曜まで世俗的な生活をしながら神様のみことばを受けなければ、どうしても成長することができません。

二つ目に、牧師中心の信仰生活から教会員中心の信仰生活に造り変えられます。大部分の教会員は牧師の顔だけを見つめて、信仰を維持し、その方の説教からのみ力を得て、自分の信仰を維持しようとする傾向にあります。牧師の説教はもちろん重要です。しかし牧師の説教だけでなく、あるときには自分がみことばを読んでひらめくことがより助けになります。教会員が自ら、牧師中心から教会員中心になることで教会が円満になります。

三つ目に、聞く信仰から読む信仰生活になっていきます。

四つ目に、もらったものを食べる信仰生活から探して食べる生活に変わります。

五つ目に、散漫な信仰生活から一貫した信仰生活に変わります。

主日に牧師の説教を聞き、全教会が霊的な真理で一つに結ばれます。しかし教会員たちが家に帰ると、残りの六日間を自分なりにおのおの違う聖書箇所を読みます。敬虔な時間のために「デイリーブレッド」を教会員に配布してからは、月曜日になると同じ聖書箇所を全教会員が読み、また同じみことばに気づき、同じ題目で悔い改めをし、火曜日にも同様にします。私は主日だけ説教をして礼拝を導きますが、「デイリーブレッド」は一週間絶えず牧会をしてくれます。同じ内容のみことばの前で悔い改め、喜び、感謝し、そのみことばの中で同じように信仰の成長をしていくのです。

どんな結果が現れたのかというと、「デイリーブレッド」を配布する以前は地区礼拝で集まると、服をどのくらいの値段で買ったのかなどの話をしていましたが、配布した後は「火曜日のあれを読みましたか？　とても良かったです」「私もそうでした」と、教会員に共通した話題が生まれました。「木曜日のみことばを黙想して悔い改めました」「私も読んで涙を流しました」……一週間、自分たちが霊的な食事を食べてから礼拝に出て主を賛美します。そうすると、その賛美の声が大きくなりました。敬虔な姿で張り切ってよく食べて、平安できれいな魂で教会に来て礼拝するので、牧師が少しの過ちを犯してもそれに何か言うことをしません。このような運動が「デイリーブレッド」運動です。

もちろん、私自身が先頭に立つ必要があります。あるときには牧会者がとても忙しいです。敬虔な時間と疎遠になります。そうすると霊的なリーダーシップが低下します。徹底した敬虔な生活、これこそがリーダーシップです。権威を主張するのではなく、霊的な生活の中、敬虔な生活の中にリーダーシップが必要です。

8　人を動かす能力

またリーダーシップとは、どんな目的に向かっていくか、一つの目標に向かって人を動かすことのできる能力です。これがリーダーシップです。教会は単一の機関です。世界に教会のような団体は他にありません。では、教会はどんな団体でしょうか？　教会は――様々な言い方ができますが、ここでは一つを紹介します。教会は自ら連結した団体（voluntary association）です。もう一度言えば、教会員が自ら望んでくる場所が教会です。教会は無理矢理にはできません。強制的に結び付けるのではなりません。人は人為的に結び付けておくことはできません。

開拓教会が円滑に進む理由は、やっと始まったばかりなので伝統がないからです。それで開拓教会は望む通りにすることができます。必要に応じてこうにもああにもできて、羊たちの希望に沿って融通が利きます。

教会員が月曜日から土曜日まで死ぬ気で働いて自分たちが稼いだお金から、時間をかけて教会に来て十分の一をささげ、また役員として自分の時間と能力をささげ、陰口を言われながらも奉仕する場所が教会です。それなのに、そのような教会員に牧師がまるで社長であるかのように接します。そうしたら彼らは「グッバイ」と言って去っていくのです。人を動かすときに権威でやっては――自分の権威で、私は牧師だから私の言うことを聞いてくださいと――人を動かすことはできません。魂を動かす、そのときに人は動いていくのです。

それでは、どのように動かすのでしょうか? まず一つ目に、説得(persuasion)です。その人が牧会者がビジョンを見て、アイディアがあって、祈っているうちに神様が見せてくださったものを教会員と座って語り合う中でビジョンを広げるときに「I was once blind: 私は以前は目が見えませんでしたが、Now I see: 今は見えます」と、その説得を通して動いていくのです。

二つ目に感動(inspiration)です。その心に感動を起こし、動かしていくのです。

三つ目、動員していくこと(mobilization)です。

四つ目に、自主性の創造(willingness)です。人々が心の中で願っている思いを引き出して、本人たちが自ら働くことができるようにすること。このようにするときに、驚くばかりの力が溢れてきます。モーセが天幕を建築するときにも、心を動かしたからこそ、人々がどれだけ多くの献金を持ってきたことでしょうか！　天幕を建てるためのささげものをあまりにも多く持ってきたので、後には「もう十分です。これ以上持ってこないでください」と言うほどでした。

心の底から主を愛しているから、福音運動があまりにも切実なために自分の時間も、お金も、自分の才能もすべてをささげたいという思いが自分の中から湧き上がるようになり、イエス・キリストの教会は動いていくのです。そこから出てくる驚くばかりの力のおかげで、牧師が一人で奮闘せずとも教会員がすべてを動かしていくので、絶対に何事もなく前進していくのです。牧師が一人で引っ張って前進するよりも、その教会がもっとよく動かされていくのです。

ネヘミヤ記を見ると、人々には働こうとする思いがありました。それを引き出すのがリーダーです。ビジョンを見せて、説得と感動を通して動かしていくのです。

聖書に何度も「自ら」という言葉が出てきます。「willingly, willingly, will to work…」殉教者は死ねと言われたから死のうと思って死ぬのではありません。主の愛に感動して、その胸のうちに志願する思いが湧き上がるので、そのために自分の命をもささげるのです。

私が牧会した教会でこのようなことがありました。五十人ほどの教会で初めて役員を選出することになったのですが、過去に役員をやった方が大部分でした。移民教会の初期には教会に来させようと誰かれ構わず役員に任命したからでしょう。役員を十二人だけ選出すると言うと、人々は「十二人ではだめです。役員は多く選出するべきです」と言うので、私はその理由を尋ねました。「彼らはみな役員の経験者なのに、役員に任命しないことができるでしょうか？ 悲しむでしょう。」それで私は悲しませないために、役員を選出する際にただ選ぶのではなく、アンケートを作りました。二十六項目の内容は、救いの確信がありますか？ いつ主を受け入れましたか？ 救いの確信の根拠は何ですか？ 毎日敬虔な時間を持っていますか？ 十戒を唱えていますか？……最後にこの質問項目をすべて検討してみてください。心の内に主のために仕えたいと願う方は今年選出されたら「主のために忠誠を誓います」という欄にサインをして、どうしてもできないと思われる方は「今年は辞退いたします」という欄にチェックするように作成しました。本人が自分の信仰を検討するようにしたのです。その結果、辞退する人と使命感を持つ人がいました。このようにして、結局その数が十二人になったので、よくまとまりました。

志願する思いで主に仕える姿が大事です。牧師はただ継続して彼らを説得し、彼らに感動を与え、彼らの心を動かして、彼らから志願する心をいつも引き出して訓練すれば、教会員はあらゆることを成し遂げます。牧師がすべての活動を担おうとして一人で奮闘することはありません。

多くの人が私に「先生はどうしてそれを全部できるのですか？ 神学校で教鞭をとり、牧会をして、リバイバル集会にも通い、放送プログラムにも出演し、どうしてそれをすべてできるのですか？」と尋ねます。私は「私がやることではないので全部できるのです」と答えます。「デイリーブレッド」の出版作業は三十二人の志願者によって展開しました。エンジンだけをかけると、志願者が自ら望んで進みます。牧師は祈って、その方々を説得し、自主性が生まれるように絶えずリーダーを動かしていくときに、信徒のリーダーが教会員を率いていきます。ここに聖霊が感動を通して働かれるのです。それで、牧会者は権威主義的な意識を持って牧会をしてはなりません。学校は言うことを聞かない生徒にはそれなりのランクを与えればよいのです。会社はルールによって何かさせればよいのです。しかし、教会はそういうことをしてはなりません。教会は一人ひとりを尊重し、教会員が能力を最大限に発揮できるように牧師が説得し、心を動かし、人を動員したほうが、私のために働くのではなく、神様のために、福音のために、真理のために、その人自身の奉仕によって喜びと満足を経験できるようになるのです。

教会員の心に、感動と感化と説得、そして主の奉仕への楽しさと自主性を与えれば、教会員が喜びの中で自ら主に仕えることでしょう。主のために時間を割いて、献金をささげて、自分自身のすべての機能をささげる喜び。小グループ礼拝に行って食事の準備をし、祈りのときに「主よ感謝します……この家庭に主に仕える喜びを味わうことができるようにしてくださり感謝します」。そうすれば、その家の主人が「アーメン」と応じます。これが感動です。自主性です。お金を一銭も受け取らずに、数百人が自分の命をささげる場所が教会です。イエス・キリストの福音は、このような人々を通して伝播されていくのです。ここにリーダーシップがあります。リーダーシップの真髄を味わうことを願います。

9　情熱の所有者

リーダーシップには肯定的な情熱があります。なぜなら私が見たそのビジョンと使命がとても重要なことだからです。人間を永遠に罪と死から救うために主が来られたので、宇宙よりもさらに貴重な人を救うことがどれほど価値のあることでしょうか？　一人に神様の恵みを知らせて、イエス・キリストを紹介し、その人が神様の救いを受ける者になるとします。そのとき、一人の救いのために神様が私を用いてくださったことに私はただ感謝をささげるだけです。ここに肯定的で楽観的な姿があります。信仰は楽観的なものです。「信じるとおりになるだろう。」生きておられる神様が私たちの父であるのに、何か不可能なことがあるでしょうか？　神様にはすべてのことが可能です。

物事を見るときに、二つの視点で見ることができます。悲観的で消極的に見るか、楽観的で肯定的に見るかです。特に内向的な人は気を付けなければなりません。内向的な人は先天的に消極的に見ようとする傾向にあります。このような人々は神様に「私に信仰を与えてくださり明るく見ることのできる能力を与えてください」と祈らなければなりません。自動車を運転しながらガソリンタンクの残量を示す針を見て、否定的な人は「あら、ガスが半分しかない」と残量に注目します。一方、楽観的で信仰のある人は「まだ半分も残っている」と考えます。同じ事実に一人は半分しかないと言い、一人は半分も残っていると言います。何事も二つの視点で見ることができます。いくら難しい試練であっても、二つの視点で見ることができるのです。

リーダーはいつでも信仰の目で肯定的な部分を見ます。信徒たちが否定的に見る可能性があるので、牧会者が信仰の目を開かせると、暗く見ていた人々の世界が明るくなります。人々は明るいのを好みます。ピリピ人への手紙4章8～9節には、良いこと、美しいこと、徳なことだけを考えるように書かれています。

「最後に、兄弟たち。すべて真実なこと、すべて尊ぶべきこと、すべて正しいこと、すべて清いこと、すべて愛すべきこと、すべて評判の良いことに、また、何か徳とされることや称賛に値することがあれば、そのようなことに心を留めなさい。あなたがたが私から学んだこと、受けたこと、聞いたこと、見たことを行いなさい。そうすれば、平和の神があなたがたとともにいてくださいます。」

思考方法がいつでも明るい方向であり、暗い中であっても光を探し、みんなが暗闇で翻弄されているときに希望を見る人、この人こそリーダーです。

私たちの人生には、いつでも神様の祝福があるだろうという確信があります。なぜなら神様がそうだと言われるからです。感じることはできなくても、その尋常ではない事象を通してでも、なお神様が私たちを祝福してくださるのです。ローマ人への手紙8章28節には「神を愛する人たち、すなわち、神のご計画にしたがって召された人たちのためには、すべてのことがともに働いて益となることを、私たちは知っています」と書かれているではありませんか。何を益となしてくださるのでしょうか？「すべてのことを！」すべてのこととは何でしょうか？　万事です。この世界に起こることは一つも例外なく、私にとってためにならないことがないというのです。私にとって有益でないことは一つもありません。ですから、牧会生活の中で死の陰の谷を歩むときさえも、それも神様がそこを通して私に結果的に祝福になるようにしてくださる過程にすぎないという証拠です。そのため、神様が今度はどんな恩寵を下さろうとしているのかという期待と希望を持つようになります。これをどうしたら分かるでしょうか？　信仰によって救いを受けた人は、信仰によって生きるので、信仰によって知るのです。

「絶えず喜びなさい。」どのようにして人は絶えず喜んでいられるでしょうか？　絶えず喜ぶ方法は一つしかありません。ただ喜ぶことです。命令です。命令は神様から来て、従うことは私の仕事です。そうすれば祝福があり、しなければ祝福はありません。当然でしょう。神様の命令なので、信じる人はいつでも喜びで生きようと決心し、いつでも喜ばなければなりません。パウロは「キリスト・イエスにあって喜びなさい」と言いました。主が私たちの人生を治めてくださるので、神の導きに私たちの力を合わせて善を行うほかありません。どのようにすれば幸せに楽しく暮らせるだろうか？　その秘訣はただ一つだけです。主に魂を任せた私たちですから、その方が責任を持ちます。人生が私の手にあるのではなく、その方の手にあります。ですから、このような信仰があるので、喜べばよいのです。絶えず喜ぶことを習慣にするのです。同じ言行を長い間反復していくと、その言行が自動的に現れます。習慣です。良い習慣を作ることもできますし、悪い習慣を作ることもできます。私たちは良い習慣を一つずつ積み重ねて多くの良い習慣を作っています。その道だけが楽しく生きる道です。環境と状況さえ整えば喜ぼうと思っているのですか？　それは誰でもできることです。それでは絶えず喜ぶことができません。喜ばしいことも悲しいこともあるのに、どうして絶えず喜ぶことができるでしょうか？　ですから、これから私たちの人生の終わりまで無条件に喜ぼうと決心して、行動化してみてください。喜びの目で見て、喜びの考え方をして、喜びの態度を維持して、喜んで行動して、喜ぼうとする習慣を作って、人生を楽しみながら生きる品性を毎日作っていくのです。その決定は全面的に私自身にかかっています。幸福は選択です。

「すべてのことにおいて感謝しなさい。」一般的には話にもならないことです。しかし方法は一つあります。どんな事柄が起きても無条件に感謝する理由を探し、感謝すればよいのです。

テサロニケ人への手紙第一5章16〜18節には、いつも喜んでいなさい、すべてのことにおいて感謝しなさい、というパウロの勧めの間にもう一つ入っています。「絶えず祈りなさい」というみことばです。絶えず、万事に、休まず、みな同じ内容です。同じ内容を違う表現にしたものです。喜びと感謝は祈りの結果です。祈るから神様の御業が起こります。神様の御手が私の人生に現れることを経験するので喜びます。それで感謝が自然に溢れます。すべてのことに祈ると、すべてのことに神様が働かれます。祈りの結果を見ながら喜びが自然に起こり、祈りに応えられる神様に感謝しないわけにはいかなくなります。すべてのことに祈るなら、すべてのことに喜びと感謝があります。

「私は無条件に感謝し、喜びながら生きよう。主よ！　助けてください」と神様の御前で決断する必要があります。人生でいつか一度は、このような大きな決断をしなければなりません。人生で一度は、このような決断を迫られる日がやってくるでしょう。その日がいつか知っていますか？　まさに今日です。いつもふてくされている人に誰がついていくでしょうか？　悲しみのときに悲しみ、惨めなときに惨めな人、このような姿は誰にでもできます。惨めなときにそれでも笑う人、悲しみのときに堂々としている人、できないと思われるものをできると見る人、このような人を見るときに、私もそのように生きていきたいと願う心が生まれます。

リーダーシップは、自分勝手に思いどおりのことを行うことではありません。リーダーシップはその人の人格です。神様が宇宙と歴史と人生を統治しておられることを信じているので、いつ、どこでも、積極的で肯定的で楽観的に生きていけます。だから、この決断をいつかはしなければならないのです。環境が悪いように見えても、自分が「大丈夫！」と思えば大丈夫なのです。これがリーダーシップです。リーダーは、積極的で肯定的で情熱的なので、目標に向かって進み、目標に向かう間に起こる障害物に目を止めません。障害物があれば、越えて行けばよい、壊して行けばよい、地下を掘って行けばよい、疲れたら休んでから進めばよいのです。すべての問題には解決策があります。問題は解決されるためにあります。すべての結び目はほどくことができます。私たちの人生に障害物があるということが問題なのではありません。障害物を見て落胆することが問題なのです。リーダーは落胆には関心がありません。私にできないならば、それができる誰かがいますし、最後には神様がいらっしゃいます。この方はすべての問題を解決することのできる方です。

ある人が私のところに来て、「先生、これはどうすれば良いのでしょうか？　大事件が起こりました」と心配します。人生を歩みながら常に喜び、万事に感謝して生きようと決心しても試していないので、訓練がされていなかったためでした。そのために、いつも暗い面を見て暗く考え、暗く話してきたので、今ではもはや否定的な人になっているようでした。

情熱は常に希望的です。もし落胆することが生じても、よそ見をすることがありません。問題を解決できる神様がいらっしゃるからです。楽観的で情熱的な態度は感染性があります。人がこのような態度であったら、それはそこから広がっていくことでしょう。隣にいる人にも広がります。信仰のリーダーシップは言葉がなくても隣に拡散されます。このようなリーダーに人々は従おうとし、従います。このようなリーダーに会えば、その人の隣にいたくなります。その人と一緒にいたいし、話してみたくなります。見つめたくなります。その人の姿を真似したくなります。なぜならそのような情熱の所有者が周囲に数人しかいないので、普通の人はそのような人が一人現れただけでもその人を慕いたくなります。その人の隣に行くだけでも力が湧くので、その人を好きになります。皆さんが楽観的で情熱的な人であるとき、皆さんの教会員が、ましてや他の教会員でさえも会いたがります。信仰のない人でも、自分の家に来て食事でも一緒にできたらと招待してくれます。その人と一緒にいる時間が喜ばしいからです。その人と話すと肯定的なエネルギーを受けて力が湧き、生きるのが明るくなるからです。

10　明るい自己像

リーダーは自分自身に対して明るいイメージを持っています。これは傲慢であるとか自慢をしているということではありません。優越感で自分の自慢をする人は、実際には劣等意識のある人です。劣等意識の強い人は劣等意識を隠すために優越意識を表現します。劣等感をカバーするために、小さいことも大きく膨らまし、一つしか持っていない物も二つ持っているかのように言います。自信がないので、自慢しようとするのです。優越感は劣等感を偽装させたものです。よく自分を誇示する人は、つらい人です。誰も分かってくれないだろうから、苦しんで認めてほしいと叫んでいるのです。どれほどもったいないでしょう！　そのような人たちを私たちは嫌うのではなく、かわいそうだと思わなければなりません。むしろその人のために祈る必要があります。心が風邪をひいて咳をしているのに、なぜ咳をするのか、咳をするなと言うのと同じです。その人を嫌って、偉そうにするなと非難するのでは、その人の心の風邪はますます悪化することでしょう。その人の自尊感情を高めて、助けなければなりません。

明るいイメージとは、優越感ではなく「私が私になったのは神様の恵み」と考えることです。自分の姿をありのままに受け入れて神様に感謝することです。神様が私に与えてくださったものすべてに感謝するのです。私の両親、環境、容姿、知能、能力、家族、子ども、自分の通っている学校に対して――神様が私に与えてくださったものすべてに対してです。神様が与えてくださっていない物が何かあるでしょうか？　あるものを受け入れて満足し、感謝するのです。私たちにはみな長所と短所があります。短所も認めることができれば心が楽になります。そして、私に足りない部分を聖霊の助けによって成長させていただき補えるように努力するのです。劣等意識は比較意識の中から生じます。他人と比べるときに生まれるものです。他人と比較するときに優越感も劣等感も生まれるのです。自分を受け入れずに不満を言うことは、神様が失敗して私を造ったかのように言うことと同じです。神様は絶対に失敗しません。私たちの神様の力と知恵によって、私たちは私たちとして創造されました。私たちは他の人と同じになる必要はありません。そして、そのようにもなれません。劣等意識や優越意識が生まれるだけです。私たちは神様があなたの目的に沿って特別に造られた神様の最高の創造物です。一つしかない「オリジナル」です。だから私が私になったことに感謝し、楽しく受け入れるのです。満足して考えるのです。感謝して良く思うのです。「おい！　あそこの子どもはああなのに、なぜお前はこうなんだ？」と言うのであれば、その親はかわいそうな人です。ダビデは「私は感謝します。あなたは私に奇しいことをなさって　恐ろしいほどです。私のたましいは　それをよく知っています」（詩篇139・14）と言います。

神様が与えてくださった子どもに感謝して、神様の下さった伝道師の仕事に感謝するのです。「なぜ私の友だちは大きな教会の伝道師なのに、私は小さな教会の伝道師なのか」と嘆く人は良いリーダーにはなれません。小さな教会の伝道師にしていただいたとき、「小さなところから始めることができるようにしてくださってありがとうございます」と祈り、小さな仕事にも忠実に果たすときに充実して成長することができます。小さなところから始めると、あとは成長するしかないでしょう？

自分に対して良いイメージを持たなければなりません。これは傲慢とは違います。傲慢は病気です。自分を過大評価することです。この病気にかかった人は自分の病気に気が付きません。しかし、その人を除いた周囲の人々はみな気が付いています。自慢する必要はありません。また弁明する必要もありません。ただありのままの姿で「私が私になっているのは神様の恵みです」と語り、平安に感謝するべきです。一タラントを与えられたならば一タラントに感謝し、二タラントを与えられたならば、それはそれで感謝しなければなりません。自分自身に対して「私はなぜこの有様なのか？」という人は、神様の作品とその作品をお造りになった創造主に不満を持っているのです。このように根本的なところで問題があれば、幸せになることはできないし、良いリーダーになることもできません。幸せでない人は、他者を幸せにすることは絶対にできません。

エペソ人への手紙5章29節には「いまだかつて自分の身を憎んだ人はいません。むしろ、それを養い育てます。キリストも教会に対してそのようになさるのです」と言っています。英語では「No one ever hated his own flesh but nourishes and cherishes…」。誰も自分を嫌ってはなりません。それではどうすれば良いのでしょうか？「nourish」で「cherish」になることです。「nourish」とは、自分自身によく食べさせることを言います。食べ物も栄養のあるものを選んで食べ、知識も良いもので、本も良い本だけを読み、常に良いもので自分を保養するのです。「cherish」とは宝石を大事に扱うように自分自身を大切にすることです。大事に扱うということは、自分が自分のものではなく、主が形づくって置いてくださった主の作品だということを認めることです。使徒パウロはエペソ人への手紙2章10節で「実に、私たちは神の作品であって、良い行いをするためにキリスト・イエスにあって造られたのです。神は、私たちが良い行いに歩むように、その良い行いをあらかじめ備えてくださいました」と言っています。この箇所の英訳NIVは「We are His masterpieces created in Jesus」となっています。とても良くできた翻訳です。ダビデのように、パウロのように、神様が与えてくださった私たち自身に対する容認と感謝がなければ、多くの人々を健康に助けるリーダーになることはできません。

私たちは何によって救われたのでしょうか？　主の尊い血によって生かされているので、私はもう私のものではありません。主が私たちをどれほど大切に思っていらっしゃるかを知らなければなりません！　神の子であるイエス・キリストが十字架にかかって死に、その身をささげて私を生かしてくださっているので、私たちはどれほど貴重なことでしょう。私は素焼きのような者ですが、その素焼きに何を入れるでしょうか？　宝が入っているので、貴重な素焼きになれるのです。私たちはこのような者たちです。ですから、神様が造ってくださった私に対して良くない自己像を持っているならば、良いリーダーにはなれません。

自分自身に対して健康的なイメージを持っている人が、健康的なリーダーになります。良いリーダーは情緒的に健康です。これは事実です。リーダーシップが不足している人は、自分に対していつも不安です。いつも弁明したり、言い訳をしたり、自分に対して平安がありません、「主よ、感謝します。私は貧しい家に生まれて、今まで両親に対して不満がありましたが、神様、お赦しください。父のような人を通して私に物の大切さを教えてくださってありがとうございます。主よ、勉強のできない父のおかげで私の中に勉強しようとする情熱が生まれたことに感謝します。私の父は貴重な人です。教育を受けはしませんでしたが、知恵のある人です。」情緒的に健康な人は、自分の人生に対して肯定的なイメージを持っています。貧しい家に生まれたことや、両親が教育を受けられなかったのは、私たちがどうすることもできないことです。しかしながら、そうした境遇を積極的に捉え直し、肯定的なイメージを持つべきです。

それだけではなく、自分に対する肯定的なイメージと同様にリーダーは、他者に対しても肯定的なイメージを持っています。ここに秘訣があります。もう一度言うなら、他者をとても大切に思っています。自分の価値を知っている人は、他者の価値も知っています。一人の人がこの世界よりも貴重だと主が仰ったではありませんか。人に出会ったら、彼がどんな人であれ、その人を尊重し大事に接するのです、「いまだかつて自分の身を憎んだ人はいません。むしろ、それを養い育てます」（エペソ5・29）と語られているように、尊重し、愛さなければなりません。それでは自分だけを大事にしている人をなんというでしょう？　利己主義者だと言います。利己的な人、自己中心的な人は周囲の人々から好かれません。そのような人の隣にはいたくないので、避けたり逃げたりします。このような人はリーダーになることができません。しかし、自分が大事だと分かっているからこそ他者も大事にできる人の周囲には、多くの人が集まります。人を軽視する社会において、人を大切にできるリーダーがいるとき、その人が隣にいると自分の尊さが現れます。だから、その方と一緒にいたくなるのです。

11　リーダーは働く人を発掘する

リーダーは、働く人を探し出して、一緒に働くリーダーを育成します。牧師は人に対する専門家にならなければなりません。一人の人に会ってもただ通り過ぎるのではありません。その人の特徴や気質やその人の可能性を見て、人間に対する研究は聖書を通して、また心理学・社会学・哲学・相談学・経営学等を通して、人間に対する正確な理解を開発しなければなりません。人と五分話すだけで、その人がどんな人かをほぼ正確に判断できるような訓練をしなければなりません。それで私たちは、人に会うことを楽しみ、対話を好み、他者が話すのを聞くことを喜びます。そうして人を分析し、人について常に学んで、牧会者は人の専門家にならなければなりません。活動とリーダーシップを開発するのに、人に対する判断が正確でなければ、牧会することに疲れるでしょう。人について学び、研究し、観察することで、人に対しての専門家になることが重要です。牧会は人と言っても過言ではないでしょう。この人はどこを押せば動くだろうかと、その人に適したスイッチを探して、押せばよいのか、どうすれば動くのかをよく理解します。そして、そのときそのときにその人に適したスイッチを使用してこそ、人を動かすことができるのです。動くポイントは人によって異なります。称賛・愛・あわれみ・恐怖・憎悪・お金・わがまま・達成感・名誉・誠実さ・愛国・権力・英雄心・健康・自己愛・向上心・自己啓発・自己満足・自由・独立心など、多くのものがあるでしょう。誰でもその人に合ったスイッチさえ押すことができれば、動かすことができます。人によって、その人に合った動機を与えて、達成できる価値ある仕事を見せると、自ら参加するようになります。

12　リーダーは働く人を訓練する

牧師は一人で働くのではありません。牧会は人だからです。リーダーは他の人を通して、他の人と共に働きます。人を見る目を養いながら、リーダーに適した可能性のある人を選出するのが第一であり、第二はその人々を訓練することです。パウロもテモテに「多くの証人たちの前で私から聞いたことを、ほかの人にも教える力のある信頼できる人たちに委ねなさい」（Ⅱテモテ2・2）と勧告しています。リーダー候補を選出して、その人々がリーダーの役割を担うことができるように教えていくのです。選出した働き人を、自分と一緒に働くように説得し、高い目標を一緒に共有し、感動を与え、人々の心の中に働く意欲を湧き上がらせ、一緒に働く意思が生まれるようにします（ネヘミヤ2・18参照）。小さな問題より、みんなが同意できるような大きな理想的な目標、夢、ビジョンを見せて、十分な動機を誘発しなければなりません。ネヘミヤは民族のために、家族のために、二度と羞恥を受けないようにしようという心を民衆に湧き上がらせました。みなが共感できるビジョンでした。このように選出された人々を訓練し、共に働くチームを作ります。牧会は一人ではできません。同労者を作り出さねばなりません。忠誠心があり、互いに信頼しながらも、賜物によって自由に、目的に向かって自ら立ち上がって働ける人々によってチームを構成し、彼らに適した働きを任せなければなりません。

13　リーダーは志願する心を起こさせる

三つめは、動機付け、志願する心を生まれさせること。自分が望んで、率先して働けるように環境を整えます。人材の発掘、訓練と動機付け、この三つはリーダーがやるべきことです。リーダーは同労者ではありません。リーダーは歩兵ではなく、中隊長、連隊長であり、師団長です。参謀長官です。リーダーがまるで歩兵のようにしていては、多くのことや大きなことを行うことができません。また、リーダーがすべてやってしまうのでは、周囲の人々は動機が起こらず不満を言います。達成感も満足感も抱けません。教会員にも主に仕える満足と喜びを感じられるようにしましょう。主のために、時間とお金とエネルギーを使って、自分のタラントを十分に発揮することで、やりがいのある働きを選択し奉仕できるように、人々を選出して訓練し、動機を与えなければならないのです。このようにして、その人々が自ら、自分の生活を主に全面的にささげて、主に仕える喜びを味わえるようにしなければなりませんし、このような人々を養成する人こそがリーダーです。

14　リーダーは効率的な組織に力を注ぐ

リーダーは、効率的な組織のために知恵を求めます。同じ仕事をしても、どのようにすれば短い時間内で大きな効果を得られるかをいつも考えます。時間が浪費されたり、非効果的であれば――私はこのように言います――聖書だけを取り出して、それ以外はいつでも交換できる準備ができていなければならない。同じ仕事であっても、ただ一生懸命に行うのと、効率的に行うのでは、その結果において違いが見受けられます。良い結果のためには、聖書以外のものは変えることができます。教会の憲法も変えることができますし、総会の憲法も、学校の校則も、より効果的でより良い結果を導くことができるならば、効率的で速く多くの仕事を行えるのなら、変えることができなければなりません。前任者が四十年間、同じようにやってきたとしても同じです。伝統のために効率性を失うこともあります。

牧会者の修養会に行きました。三百人が集まりましたが、少し満足できないことがありました。それは一週間の主題が「過去に戻ろう」というものだったのです。「昔のように過ごしましょう。」良かったあのころが懐かしかったのでしょう。韓国の戦争の直後の悔い改めの運動、聖霊の働きが強く起こった時代がありました。今は牧師たちが霊的に枯渇している状態かどうかは分かりませんが、その当時が懐かしかったことでしょう。その時にもう一度戻れたらと願う心情は理解することができます。私もその当時そこにいましたから、良かったという感覚は理解できます。しかし、私たちは過去に戻ることができるでしょうか？　できません。それなのに、現状の不満のために過去だけを見つめて、その時に戻ろうとする思考とリーダーシップは、適切ではありません。むしろ主題を「二十一世紀に向けた牧会者」というようにしたら、もう少し満足したことでしょう。「未来志向の牧会者」……このようだったら新たな学びを期待したことでしょう。「あのころは良かったのに……」と郷愁に浸りながら、三百人余りの牧師が一週間を過ごすとしたら、それはリーダー的な考えではないと思います。前を向いた発展的な観点ではありません。もちろん、あの時代は良かったです。しかしながら、私たちが過ぎ去った時間を取り戻すことはできません。過去は永遠に過ぎ去ったものです。それでは、皆さんは二十一世紀に向かって準備しなければならないリーダーとして、どのようにしたら今日、現在と未来に適した前進的なものを見つけられるかを研究し、祈らなくてはなりません。

インスピレーションされた神様のことばを一言で示すことができます。そこには、譲歩がありません、命が危うくても、妥協することができません。それで私は、牧会のための組織や行政、目標や方法のようなもの、また創造的で率先的で効果的なものを、いつも観察して考えています。非効果的であれば、いつでもより効果的な結果のために変えることができなければなりません。いくら組織や方法などが新しく、また効率的であっても、永遠普遍の真理とみことばに抵触する場合には、どんな妥協も変更の余地もないことを同時に記憶しておくことを願います。

15 リーダーは権限を委任することができる

リーダーは権限を委任します。自分の権限を他のリーダーたちに委任することができなければなりません。私たちが選出して訓練した人々を信じて、自分の権限を彼らに分け与え、彼らが自発性と自身の創造力を十分に発揮して働くことができるように奨励しましょう。また、神様が自分に下さった能力を通して自由で自信を持って目標に向かって行けるように、機会を与えなければなりません。これは、「私が働きたくないからおまえたちがやれ」というようなことではありません。神様が私たちにチームメイトを与えてくださったときに、誰がより優れているのかというようなことではありません。この人はより重要で、あの人はあまり重要ではなくて、この人は必要そうで、あの人は必ずしも必要ではないというような考え方は、神様の世界には存在しません。イエス・キリストの教会は、ピアノの低いドも、真ん中のドも、高いドも、てっぺんにある最高音も、七十のキーがすべてなくてはならないように、全員が必要です。教会の中には一人も必要ではない人はいません。教会員の中で一人もイエス・キリストの福音のために必要でない人はいません。神様が福音のために用いることを望んで彼らを教会に招かれました。

私たちが全体的な目標をたて、それを達成するために、すべての分野で神様が与えてくださった霊的な賜物にしたがって、自分の賜物を用いるときに、体のすべての役割をするので、どれほど嬉しいことでしょう。あるときは人々の賜物を知らないので、失敗することもあります。

ある人が私を訪ねて来て、「先生、私に大学生部を任せてください」と要請しました。その人は以前、学生信仰運動も一生懸命やったので大学生にとても関心のある方で、アメリカに来てからも長く、科学者としても素晴らしい方でした。それで大学生グループの一つをその方に任せました。約一か月半が経ったころ、学生の代表たちが私を訪ねて来て、その先生を異動してほしいと懇願します。その方のせいで大学生が毎週減って、そのクラスに来ないと言うのです。教える賜物がない人に、教える奉仕を任せたために、自身は嬉しいのですが大学生たちは苦しく効果がないのです。その方は実際には、行政の賜物がありました。教会の行政をお願いすると、間違いなく奉仕されます。自分も嬉しいし、周囲も嬉しいし、働きも発展がありました。牧会者がリーダーとして、教会員の霊的な賜物が何かを判断することで、賜物にしたがって働くことができるよう配慮するとき、その人々は犠牲的に奉仕しながらも満足することでしょう。それで、二か月後に彼を大学生部から配置転換して学校を始める新規の仕事を任せたのですが、長い間その部署に仕えながら、大きな効果をもたらし、表彰されるほどになりました。

ある長老には新しい人たちに聖書研究を導く奉仕を任せました。どんなに上手に教えることか。その勉強会を終えるときには修了書を渡しながら、学んだ人たちに証しをしてもらうのですが、その長老は教えるのがとても上手だったので、本人も満足し、学んだ人たちも喜ぶ姿を見ることができました。その長老は約二十年、この奉仕に喜びながら効果的に仕えました。

忠誠だけでは足りません。ある人はとても忠誠を誓っているのに、効果や発展がありません。仕事を一生懸命にやる人がいるし、効果的に働く人がいます。勉強も同じです。昼夜問わず本を持ち歩きながらバスの中でも勉強しているのに、成績が良くありません。ある人は勉強だけでなく自分のやるべきことをやってもよくできます。それで、このような言葉があります。「効果的にやりたいなら忙しい人に任せよ」(If you want the job done, give it to a busy man.)。仕事がよくできる人は、忙しくて時間的な余裕がないので、効果的な方法を探し出します。ただ一生懸命に働くからといって、仕事がうまくいくのではありません。効果的な方法を探す、それこそがリーダーの姿です。ですから、すべての仕事を一人でやるのではなく、同労者と分け合って、彼らを信じて権限を委任して、共に働くのです。

16　リーダーは優先順位を知っている

私たちの神学校では、一日の仕事を始める際に教授陣に学校のメモ帳を配ります。右側にメモ欄があり、そこに今日やることをメモします。そのメモ欄に優先順位に従って番号を振ります。私が必ずやるべきこと、私が直接やらなくてもいいこと、後回しにしてもいいこと、絶対的に緊急なことなどを、1番から順に記します。私が必ずやらなくてはならないけれど今日やらなくても大丈夫なこと、誰かがやっても大丈夫なこと、やってもやらなくても大丈夫なこと、様々なことを整理して番号を振っておくのです。そして、その順番に仕事をやっていきます。

イエス・キリストに書記官がやって来て、「先生、律法の中で最も大事なものは何ですか?」と聞きました。その人がもし今日における弁護士であるとしたら、成功する弁護士になる人です。なぜなら、その人は数多くのユダヤ人の法の中で、どの法が最も大事か優先順位を考えたからです。パリサイ人の規律は、二千種類ありますが、その中の一千九百九十九番目に大事なものを選んで時間を過ごしたとしましょう。彼は自分の人生をあまり重要でないことに消耗したことになります。多くの律法の中から最も重要なもののいくつかに焦点をあてながら生きていくなら、それは幸せなことです。それでこの律法学者が尋ねたのです。「律法の中で最も大事なものは何ですか?」この質問をしてくれたことはどれほど感謝なことでしょう。この律法学者が質問しなかったとしたら、今の私たちは、どの律法がより大事か、またイエス様はどれをより大事だと考えていたかを知る由もなかったのです。感謝なことにリーダーシップのある律法学者が来て、優先順位をイエス様に尋ねたので、私たちは今も、最も大切な戒めに焦点を当てて生きていけるようになったのです。

「パリサイ人たちはイエスがサドカイ人たちを黙らせたと聞いて、一緒に集まった。そして彼らのうちの一人、律法の専門家がイエスを試そうとして尋ねた。『先生、律法の中でどの戒めが一番重要ですか。イエスは彼に言われた。『あなたは心を尽くし、いのちを尽くし、知性を尽くして、あなたの神、主を愛しなさい。』これが、重要な第一の戒めです。「あなたの隣人を自分自身のように愛しなさい」という第二の戒めも、それと同じように重要です。この二つの戒めに律法と預言者の全体がかかっているのです。」(マタイ22・34~40)。

この二つの戒めは律法と預言者のことば、つまり旧約聖書全体を要約したものであり、重要なことは神様に向けた愛と人間に向けた愛に人生をささげるということです。この二つが最高に重要なので、私たちの生涯をここに焦点を当てて生きていけばよいのです。他のことは後ろに回して、まず神様を心込めて愛し、他者を愛することです。もちろん私は私自身を愛し大事にしながらも、自分よりも他者をより大事にし、神様を最も大事にします。あるときは謙遜に、私は何ものでもないということもあるでしょう。けれども、そんなことはありません。「私のようなものなんて」ということもあるでしょう。たとえイエス・キリストを信じる前に「私のようなもの」であったとしても、イエス・キリストを信じてからは「私のようなもの」ではありません。イエス・キリストを信じてからは、イエス・キリストの血潮がもたらした神様の永遠のいのちの対象になったので、「貴重な身分」となったのです。

私がインディアナ州で教えたとき、土曜の午前になると、いつも端っこで一人の学生が洗車している姿を見ていました。それはだいぶ前のことなので、安い車がたくさんあった時代です。学生たちが乗る車の中には五十ドルや百ドルほどの車もあるのですが、これらは少しくらいこすってもあまり気にしないものでした。それでどこにでも駐車するのです。しかし、この学生は自分の祖母が亡くなるときに遺産を多く残したので、そのお金で当時五千ドルの新車を買ったので、遠くの隅に駐車をしていました。五十ドルの車の隣に駐車してこすられたら大変なので、遠くに駐車し、土曜の朝になったらいつも自分の車を洗うのです。「なぜそこに駐車するのですか？」と尋ねました。すると彼は「あの車は五十ドルですが、私の車は五千ドルの価値ある貴重な車なのできれいに保ちたいからです」と答えました。同じように、私たちもイエス・キリストを信じて神様の大切な子どもになったら、このように貴重な存在になるのです。

私たち自身を大事にすると、他者も大事にすることができます。私たちの神様を最も大事にして愛すること、それも順序です。すべてのことには順序があるのです。もしこの順序がひっくり返ってしまったら、不幸になります。時間の浪費であり、人生を重要ではないことに費やすからです。何がより重要かを探して、そこから取り掛からなければなりません。そうして人生に大事なことだけをやりながら死ぬことができれば、その人は満足であり幸せなのです。重要なことだけやりながら死ぬので、最期の瞬間にも後悔がありません。そうでなければ、「人生は無駄だった」という後悔が多いことでしょう。神様と隣人と私の順序、この順序が変われば必ず不幸になり、また必ず問題が生じるのです。

私が着ているベストに、テーラーが穴をあけボタンをつけてあります。もし、三番目のボタンを一つ目の穴に入れると二つの穴が余ってしまいます。それで、一番目のボタンを二つ目の穴に、二番目のボタンを三つ目の穴に入れるとしましょう。皆さんは私の服を見て笑うことでしょう。「金先生がおかしくなったぞ。」どれほど不便なことでしょう！　スーツはこのように着るためにできているのではありません。しかし、人々はこのような生き方をするのです。ボタンを間違えてはめて生きていく人が信じない人で、未成熟な信仰者です。ボタンをはめる順番があるのにもかかわらず、ボタンを適切な位置にはめないのです。まず一番目のボタンを正しい位置にはめないので、その次のボタンもおかしくなるのです。一番目のボタンがいつでも神様であり、二番目のボタンが隣人、そして三番目のボタンが私です。一番目のボタンを正しい位置にはめることができれば、残りのボタンは見ずともはめていくことができます。全身全力で神様に対する私たちの愛、寝ても起きてもいつでも何をしても、その方の栄光とその方の御心を成し遂げよう、という切なる思いが私たちの人生にあることで、最高の時に人生の残りのボタンがはまっていくとしたら、本物のかっこよさになることでしょう。

人々は主を愛すると言います。主を愛しながら、隣人より私がより重要です。三番目のボタンが二つ目の穴に入り、二番目のボタンが三つ目の穴に入るのです。これも同様に服の形として正しくありません。二番目のボタンは二つ目の穴に、三番目のボタンは三つ目の穴に入らなければなりません。隣人と私の順序が入れ代われば、幸せではないし、問題が生じます。聖書にも「隣人を自分自身のように愛しなさい」とあります。これは二番目のボタンは二つ目の穴に、三番目のボタンは三つ目の穴に入れようということです。一番目のボタン、二番目のボタン、三番目のボタンがすべて正しい位置にはまるとき、人生が整頓されていくのです。一つ目がJseus、二つ目がOthers、三つ目がYou。その頭文字を合わせるとJOYになります。人生の喜びになります。これを「ボタン神学」と私は呼びます。朝ネクタイを締めて、スーツを着るたびに、ボタン神学を思い出して訓練しなければなりません。人生の順序が正しくなってこそ、JOYがあるのです。

自分の意見を主張して貫徹することが重要か、あるいは教会の平和が重要かを問う必要があります。あるときは優先順位を考えないので、自分の意見を貫徹させるために教会じゅうを振り回す結果になることもあるでしょう。リーダーはどんなときも順序を考えるので、最も重要な根幹を捉えます。優先順位を知らない人々は、優先順位を知ってそのために生きている人について行くようになります。

17 リーダーにはユーモアが必要だ

リーダーはユーモアを開発する必要があります。人生そのものがあまりにもきつくて真剣で緊張しているので、リーダーにはユーモアとウィットが必ず必要です。緊張した生活をユーモアで受け入れるとき、その緊張がほぐれ雰囲気が和らぎます。一度笑えば、難しいことも簡単に乗り越えられるでしょう。特に私たちの教会では、会議の際にはあまりにも緊張して真剣に進行していきます。見ていると、人々の心も表情も声も硬くなっていくのです。そのため考えもしなかった失敗をします。あまりに真剣であっても、リーダーのユーモアを通してみなが笑えば緊張がなくなり、すべてのことがより良くなります。

牧会者は、本棚にユーモアの本を数冊持っていなければなりません。説教の資料としても役立つでしょう。軍人は叫ぶことで統制を保つでしょう。けれども、牧会者はユーモアがあってこそ、より快適に多くの人々を導いていくことができます。

三　牧会者に必要な要素

牧会者には、切実に必要な五つの要素があります。

1　霊性

まず一つ目は霊性です。神様の恵みに気づきイエス様を信じ霊的に生まれ変わり、真理であるイエス様と神様のことばによって満たされ、いつも神様と交流し、聖霊の導きと助けを受けて、生きていくことです。それで、時間が経つにつれて、ますますイエス様の品格や生き方に近づいていき、イエス様のように生きて仕えることです。みことばと祈りが最優先です。

2　知識

聖書、神学、牧会に対する豊富な知識を指します。人生に対して具体的な知識が必要です。人生の問題に対する霊的な答えが何かを、知識としてよく知っておかなければなりません。情報は神学校で学ぶことで内容と範囲を知ることができます。本と講義を通しても知ることができます。霊的な真理を知らなくては、とうてい牧会、教会を形成することができません。しかし一方で、知識を多く持っているからと言って、必ずしも成功する牧会者になれるとは限りません。ある人たちは、頭が良く勉強もよくできますが、他のものが足りないので、神様に仕える働きをする者として足りない場合もあります。成績でAをとった学生が必ずしも良い働き人になるとは限りません。成績でCをとったことのある人がいるのなら、Cをとっても大丈夫です。なぜなら試験というのは、おもに記憶して書けばよいからです。ですから記憶力が足りない人はCをとることもあるでしょう。だからといって、説教者が学んだことの内容をすべて記憶して講壇に立つ必要があるのかといえば、そうではありません。何かのテーマや内容について知りたいときには、数冊の本を読むだけで情報を得ることができます。ですから牧会においては、学んだ多くの知識を必ずしもすべて蓄えておく必要はありません。

今、振り返ってみると、私も大学と神学大学院のときに何を学んだかをあまり覚えていません。ある教授は名前も思い出せないことがあります。思い出せるのは、講義を通していくつか強く受けた印象、一生懸命に努力している間に受けた訓練、教授たちの信仰的な人格、研究方法などです。しかし、知識だけではできないこともあるようです。医師や弁護士においても一流大学出身の医師や弁護士が必ず最高の医師や弁護士になるでしょうか？　シカゴで、医者や弁護士を含めた事業家二千人を対象とした調査の結果、大学を一位から六位の間で卒業した人は、自分の職業において成功する比率が低いという結果が示されています。本の中にだけ没頭し、人との関係や他の経験が足りなかったというのです。牧師も同じです。勉強がよくできたということと、職における成功とは異なるということです。その調査では八十対二十の原理が発見されたといいます。専門的な知識は二十で、良い人間関係は八十という結論です、知識がすべてというわけではありません。

3　人格

人格がその人の知識を後ろから支えなければなりません。特に牧会においては、敬虔な人格が支えることで、知識の効果が表れます。知っていることは多くても、言葉や行動において人格が見えなくては、その知識は使い物にはなりません。聖書においても、多くの知識は人を傲慢にするとしるされています、ややもすれば間違うと、知識が多く傲慢な人になりかねません。一流の学校に通った人々が語尾に出身校を言うので、眉をひそめる結果を招きます。そのような人々は牧会者としてあまりふさわしくありません。知識を人格が支えるので、「あの人を見習いたい」「あの人はとても素敵だ」というように、その方の人柄に対する信頼（confidence）が必要です。

多くの牧会者がここにぶつかります。ある牧師が初めて来られて語るメッセージはどんなに良いことでしょう！　その方が十五年間の牧会生活において、最もよく準備されたメッセージを持ってきて語るので、悪いはずがありません。それなのに、説教を聞いて一、二年が経つと人格の欠陥が表れ、牧師に真実について行くことができなくなります。知識が良い人柄に包まれている必要があります。

知識の面では、大学を卒業し、神学大学院を終えることで、牧会における基本は十分です。活動するにあたっても、三年間九十五単位ほど学めばＭＤｉｖ学位として必要なものは大部分学ぶことができます。最低でも、神学全般にどのようなものがあるかの大綱を知ることができます。神学大学院を卒業するころになると、聖書や神学、牧会についてある程度のことは知るようになり、知識面の基礎はできます。より知りたいのならば、生涯学べばよいのです。実際、牧会者は生涯にわたって学び続けます。それで、霊性、知識、人柄もそのようであればよいのに、実際の教会牧会に出ると、考えていたように進みません。難しさを経験している牧会者が大勢います。ある場合には、教会員が変わらないので難しいときもあるでしょう。

ですから、牧師は教会でリバイバル集会を何度も試みます。数日間のリバイバル集会を開き終えると、ある程度の期間は教会がよく動くのに、いくらか過ぎるとまた元のように戻ります。牧師は自分の祈りが足りないからかもしれないと思って祈禱院に行きます。祈っている間は恵みに満ち溢れてとても良く、帰ってくると初週は良かったのに、一、二週間が過ぎると祈禱院に行ったことの霊的な影響（spiritual impact）が牧会において表れなくなります。

4　牧会者に必要な機能

牧会者としての専門的な機能（ministry skills）です。牧会的な機能をしっかりと開発していないことが問題です。副牧師が必要なので探してみると、学んだ成績も良く、使命感もあり、祈りもよくするのに、牧会的な機能が不足しています。一例を挙げると、その人は個人的に伝道をしてイエスのもとに導いたことがありません。勉強もたくさんし、論文もよく書き、説教も滑らかで、聖書も分かりやすく教え、礼拝の司会もよくします。しかし、伝道が専任の役割でありながらも、信じない人々に会って伝道することができません。体系的に福音を正確に伝えて、伝道者を通してイエスを信じることができるようにする伝道訓練がされていません。

私の両親は子どもを九人育てましたが、一度に産んだでしょうか？　いいえ、一人ずつ産みました。牧会者の説教が良ければ人々が大勢集まります。だからといって、礼拝に参加する全員がみな救われた人で、みな生まれ変わった人で、みなが神様の弟子でしょうか？　必ずしもそうではありません。牧会者は神学生のときに伝道訓練を受け、そのスキルを開発して伝道の専門家にならなくてはなりません。開拓教会を始める場合、一人ずつ伝道して救いを受けたら、その人にとってその牧会者が永遠の恩人になり、その牧会者と共に教会に熱心に仕えます。神学的な知識と同様に働きの能力をよく開発しておくなら、そのような人はいくらでも牧会を上手にできますし、教会にはそのような人が必要です。成績でAをとって人柄も良くても、日曜学校の担当をさせたら、何をしたらよいのか不安がる人もいます。もちろん、一人で多くの機能をすべての分野で網羅し発揮することはできません。

私は一九七二年から神学大学で教え始めましたが、一年が過ぎると、私に伝道学を教えるように言われました。私は伝道学について一単位も神学校で学んだことがないのに、どうして教えることができるでしょうか？　詳しく聞いてみると、Master of Divinity に合わせて Master of Theology まで修めましたが、その教科の課程で伝道の科目が一単位もありませんでした。ヘブライ語、ギリシア語、旧約概論、新約概論、解釈学、聖書注解、現代神学、弁証学、教会史、実践神学などの科目に集中していたので、どのように出て行って伝道をするかといったことは誰も私に教えてくれませんでした。それで、どうして私が伝道学を人に教えられるでしょうか？

ある日、十五歳のスペイン系の少年が教会に来ました。それで、その週のうちにすぐにその家を訪問し、目を合わせて説教を行いました。十字架について一時間ほど話し、「あなたはイエスを信じますか？」と聞くと、イエス・キリストを信じたいと答えました。私は初めて伝道をしたのですが、決心の祈りが終わると、私がどれほど熱心にその少年と向き合ってイエス・キリストについて伝えたことか。この少年は目を見開き、驚いた表情で「金先生、感激です（Pastor Kim, you are impressive)」と言ったのです。それで、よく考えてみると私が伝道したのか、この少年に催眠をかけたので信じると答えたのか、私の心の内には疑念が生まれました。「この少年が福音とは何かを理解し、イエスと言ったのではなく、対面して目と目を合わせて精神を奪ったので、催眠にかかってイエスと言ったのではないだろうか？」　私は幼い子どもの魂を抜いたような気持ちになりました。なぜ、そうなったのでしょうか？　神学校でどのように福音を伝えるかを教わったことがなく、伝道をしなくてはならないと聞いてきただけで、伝道の方法について訓練を受けたことがなかったので、私ができる方法でやったにすぎなかったのです。

ウエストミンスター神学校のジェームズ・ケネディ牧師が来られて、伝道に関する講義をなさったのを一時間聞いたことがありました。それで、伝道学の講義を担当した際にその方の本を読み、私自身が伝道について学びながら教え、学生たちを連れて出て行って共に伝道を始めました。そのときから私は伝道に興味を持ち、その方の伝道方法を身に着けて使用しました。それで、伝道爆発（Evangelism Explosion International）は私にぴったりとはまる手袋のようでした。伝道することで一人ずつ主のもとに来るのを経験するたびにとても嬉しく、牧会者としての心が熱くなりました。伝道の能力は牧会には必須です。

その次は相談技術です。牧師の働きの中で、信徒の相談にのることがどれほど多いことでしょうか？　牧師がただ一人の教会員の相談にかかりきりになって疲れ果て、残りの三百人を正しく牧会できなくなる場合があります。カウンセリングは全体的に見て、核の問題を解決する役割を持っています。

その次は対人関係（social, relational skills）の能力です。「どのようにすれば人々と円満な関係を築き、維持することができるか？」　牧会は人々です。ここで多くの失敗をすることでしょう。対人関係を築く方法を知らずに、開発もしないので、人々との間に葛藤を経験し、正しく管理できず、多くの問題を経験します。働きというのは、人々を相手にすることなので、牧会者は人についてては専門家になる必要があります。牧会者はリーダーなので、円満な個人的関係能力と大勢の人々をリードできる能力を学び育てる必要があります。

5 リーダーシップ

霊性、知識、人格、牧会方法の開発とともに特別で絶対的に必要なものとして、五番目にリーダーシップ能力（leadership skills）があります。ある人は宣教や教える技術はあってもリーダーシップがないため、教会を成功裏に導いていくことができていません。リーダーシップに従って無から有を創造する力（driving force）がありません。牧会者に最後に必要なのはリーダーシップです。結局のところ霊性や知識、人格、牧会機能があっても、その牧会者が教会を成功裏に牧会ができるか否かはリーダーシップにかかっています。一人のリーダーシップによって教会が立ち上がることもできるし、崩れていくことも、停止状態に陥ることもあります。良いリーダーシップが表れれば、そのときからその教会には新しい歴史が始まります。

一人のリーダーがどれほど大きな影響を及ぼすかについて、カナダで確実に見たことがあります。「みことばと賛美の再建」というプログラムをトロント市にあるすべての韓国人教会が集まって数日間開催しました。みことばは私が伝え、賛美はトロントにある合唱団が担当しました。その方々の合唱を聞いて私はたいへん驚きました。生まれてから一度もあれほど良い合唱を聞いたことがありません。ヘンデルの「メサイア」を演奏しましたが、その演奏を聴きながら、とても感動し涙を流したのはそのときが初めてでした。「メサイア」はほぼ毎年、大体クリスマスの時期にどこかで聞くでしょう？　なぜ感激して涙を流したかというと、その音楽のメッセージも感動的でしたが、トロントにいる韓国人の合唱団が賛美するその姿を見て、さらに感動したものでした。そのメンバーは音楽を専攻した方々ではなく、夜遅くまで小さな店で商売をしている人々でした。私たち韓国の移民が外国の地に来て、お店やランドリーやガソリンスタンドで働いています。その人たちが、その夜には黒いスカートに白いブラウスを着て、黒いジャケットに蝶ネクタイをして、嬉しそうな顔で、とても訓練されたハーモニーで情熱的に賛美している姿が、天使たちのように見えたからです。その声とハーモニーはとても卓越していました。韓国人の牧師の指揮者がトロントでメサイアの指揮をすると、その翌日、朝刊一面に「韓国人のメサイア絶賛」と掲載されました。

神様は平凡な人を用いてくださいます。私はとても優れた人々を怖がります。あまりにも賢い人も怖がります。とても優れた人々は神様の王国を立てずに自分の王国を立てようとするからです。説教がとてもよくできる牧師は、その人だけを見せ、イエス様を見えなくさせます。賢い人であるほど神様の前でひざまずかなければなりません。ひざまずく人は神様をより頼み、偉大な神様がその方の働きの上に現れてくださいます。

四　聖書からみる仕えるリーダー

1　ヨハネのリーダーシップ

マタイの福音書20章20節以降に登場する使徒ヨハネの家庭を通して、リーダーシップの特徴が見えてきます。まず、ヨハネの両親に興味深い姿を見つけます。父のセベダイは漁師でした。ただし普通の漁師ではなく、従業員を従えている、今の言葉で言うと漁業会社の社長のような人でした。つまり、リーダーシップのある人だったのです。またセベダイの妻は、イエス・キリストが最も活動した時期に、イエス・キリストとその弟子たちを支援した女性のうちの一人でした。この女性は自分の友人たちを組織的に動員し、自分たちがお金を出し合って、イエス・キリストとその弟子たちを支えた人です。友人たちはその当時の上流社会の女性たちで、例えばヘロデ王の財務長官だったテウダの妻も参加していました。ヨハネとヤコブの母は普通の女性ではなかったのです。漁業経営者の妻であり、裕福な家庭だったのでイエス様の働きを助け、上流社会の友人と交流しただけではありません。イエス・キリストが十字架にかかったときも、当時インドから輸入した高い香水を持って行き、イエスの遺体にかけようとした女性でもあります。

彼らは貧しかったあの時代に、家を二軒も所有していました。ガリラヤに一軒あり、また首都エルサレムにも二階建てで屋根裏部屋もある大きな家を所有していました。イエス様が十字架にかかって亡くなった日、ヨハネが十字架の下から見つめていたとき、イエス様はヨハネに「私の母を見て」とおっしゃり、ご自分の母親を彼に託しました。そのときからヨハネはすぐにイエスの母であるマリアを自分の家に招いたと記録されています。そこはエルサレムでした。ペテロもイエスが復活なさるまで、その家に居候していました。それで、マグダラのマリアが空の墓から走って、ヨハネとペテロが泊まっていたその家に向かったのです。セベダイの家庭はガリラヤとエルサレムの二か所に家を二軒持っていた裕福な家だったのです。

ヨハネはこのような家庭環境の中で育ったので、二番手になると寂しい人でした。イエス・キリストが現れる以前、当時のイスラエルで最も強力な霊的指導者はバプテスマのヨハネでした。彼の悔い改め運動が全国を席巻していたとき、ヨハネはすでにバプテスマのヨハネの弟子に入っていました。彼は大事なときにただ座っているような人ではなかったのです。あるとき自分の師匠であるバプテスマのヨハネが、通り過ぎて行くイエス様の姿に「見よ！　世の罪を取り除く神の子羊」と叫んだとき、その言葉を聞いてすぐに、ヨハネのもとを離れてイエス・キリストについて行き、最初の弟子になった人でした。世間的に成功する資質を持って前を行く人、リーダーシップを持っている人でした。

イエス・キリストの弟子になって以降、十二人の中で最も年齢が低くても、ペテロとヤコブと共に側近の三人に入り、イエスが二人に特殊任務を与えるときもペテロとヨハネが選ばれました。このように彼はイエス様に最も「愛された弟子」となった人です。トマスは猜疑心で、ペテロは裏切り者として、ユダは泥棒として知られますが、ヨハネは「イエスが愛した弟子」として知られています。イエス・キリストの復活と昇天後も初代教会の「柱」になりました。彼は十代からイエス・キリストを信じたので、九十歳の老齢になったときもイエス・キリストの声を確かに聞いた弟子の中で唯一生きていたので、「生きた声（Viva voce）」と呼ばれました。この家族には、リーダーの特徴がありました。特別な成功が偶然訪れたのではありません。若くても、ヨハネにはリーダーシップの素質がありました。

リーダーは自分の求めるものが何かを明確に知っており、その目標に向かって積極的に追求します。母と二人の息子の姿を見てください。「そのとき、ゼベダイの息子たちの母が、息子たちと一緒にイエスのところに来てひれ伏し、何かを願おうとした」（マタイ20・20）。リーダーは自分の願うものを知っています。「何かを」について、よりヘブライ語に近い形で訳された英語を見ると「…asking something from Him」となっています。心の内に切に求めるものがあるという意味です。これが夢であり、ビジョンであり、目標であり、祈りです。イエス様もヨハネの母に、求めるものが何かをもう一度確認します。「何を願うのですか」（同21節）と。

息子に対する願望は大きいものです。この母はとても大きい野望を持っています。御国で主の右の座も左の座も二人の息子にくれるように願ったのです。求めるならば小さなものではなく、大きなものを要求します。「主よ、主が私を呼び、私を主のしもべとしてせっかく用いてくださるのなら、私を爆弾のように使ってください」と。そのように用いてくださるか否かは、ただ主権者である神様にかかっているので、私たちが関与すべきではありません。私たちはただ、求め続けるだけです。心に願うことがあるので、その願いを主に表現するのです。

トマス・ア・ケンピスが「計画は人にあり、決裁は神にあり（Man proposes and God disposes）」と言った言葉を忘れてはなりません。十の願いをしても、千もの願いをしても、神様には何の違いもないのです。時間も、努力も、願うときに使う唇の動きも同様です。リーダーは神様が下さるビジョンを確かに見ている人です。最近のアメリカでは、会社の重役を訓練するのに、一枚の紙に自分が成し遂げようとする目標を明確に書く練習をさせます。明確な目標設定がすべての成功に重要な要素となります。矢は標的があってこそ刺さります。目標なしで、放った矢がどうやって命中することができるでしょうか。

それだけではなく、リーダーにはいつでも率先力（initiative）があります。「イニシアティブ」は、他人が私に話す前に私が先に知っており、自分自身で初めの一歩を踏み出して仕事を処理する能力です。Pro-active とも表現します。誰かが説明したり話してくれることでやっと動く人は労働者にはなれますが、リーダーとしては不足しています。リーダーは自分が見て、進んで仕事を処理します。さて、イエス・キリストの弟子の他の十人はどこで何をしていましたか？「いつかイエス・キリストが王国をかなえるとき、私が右に座ったらいいのに……もし私を選んでくださるなら……。」このようにただ座って思っている間に、ヨハネの家族はすでに主に向かって走って行き、請願書を出しています。先手を打ったのです。彼らは先を行く人々でした。つまり、残りの十人は遅れたのです。それで、ヨハネとヤコブとその母の知らせを聞いたときに「ほかの十人は……この二人の兄弟に腹を立てた」（マタイ20・24）のです。なぜ、この人たちは怒るのでしょう？　彼らはみな、その席を見つめてイエス・キリストについて行っていたのに、ヨハネとヤコブが一歩先を行ったのです。二人の兄弟にはリーダーに必要な資質があったのです。

リーダーには、情熱が必要です。目標やビジョンが頭の中ではっきりしているので、心に情熱が生まれるのです。わたしが飲もうとしている杯を飲むことができますか。』彼らは『できます』と言った」（マタイ20・22）。成功する人は情熱があります。目標が明確なとき人生の情熱が現れます。成し遂げなければならないビジョンがあまりにはっきりしているので、エネルギーが胸の内から溢れます。ヨハネ兄弟は、イエス・キリストが現れる以前からすでにバプテスマのヨハネの運動に飛び込んでいましたし、バプテスマのヨハネの時代が終わり、まさにメシアの運動が始まる初期にもう一度先頭に立って飛び込んでいく人でした。何をしても熱く行います。彼らがどれほど情熱的か、あるときはやりすぎることもあります。一度はイエス・キリスト一行がサマリアに寄ったとき、サマリア人がイエス・キリストをあまり歓迎しませんでした。このとき二人の兄弟は、「主よ、私たちが天から火を下して、彼らを焼き滅ぼしましょうか」（ルカ9・55）と言って興奮しました。いくら自分の先生を愛するとはいえ、あまりにも情熱的に愛したのです。

どんな仕事でも、一つをやるにしても、器用に徹底的にきっちりやらなければなりません。情熱が足りない人は情熱を求めなければなりません。「求めなさい、そうすれば与えられます。」自分に最も必要なものは百であれ、千であれ求めてください。ソロモンのように自分に最も必要な知恵をまず求めたとき、知恵だけではなく、他のものもすべて神様が備えてくださいました。

リーダーは、神様が示してくださった目的の達成のために、どんな対価でも払う準備ができています。「あなたがたは、自分が何を求めているのか分かっていません。わたしが飲む杯を飲み、わたしが受けるバプテスマを受けることができますか」(マルコ10・38)。その杯が何かも分からずに、聞きもせずに、自分の願い、自分の情熱のために、何でも「私たちはできます」と答えました。対価が大きいか小さいかの問題ではなく、目標達成のためにはどんな対価でも払うということです。その杯が死の杯かもしれなくても、目標達成のためには途中で払う犠牲は何でもないのです。何でもやってのける。できる!「Lord, we are able!」という賛美は、彼らの答えに由来します。

正当な方法で対価を支払わずに、不正な方法で仕事することが、宗教、政治、学校、ビジネス界を問わず、私たちの社会には溢れています。人生はまるで百貨店やスーパーマーケットのようです。私たちが欲しいものはいくらでも選んで手に入れることができます。ただし、すべてを選んだ後に、店員に対価を支払う必要があるだけです。リーダーは目的を達成するために、どんな対価も支払います。

リーダーは結果を神様に委ね、自分の最善を尽くします。「しかし、わたしの右と左に座ることは、わたしが許すことではありません。それは備えられた人たちに与えられるのです」（マルコ10・40）。結果に対して懸念するのにエネルギーを消費するのではなく、目標達成のために最善を尽くして、最も効果的な方法で、最も迅速に、最も大胆に同労者たちと共に成し遂げる人々がリーダーです。

人間の能力には限界があります。私たちが望んで成し遂げようとすることだけでも力が足りないだろうに、片方では心配し懸念するので大半のエネルギーを消費し、片方ではその仕事を成し遂げていくのに力を尽くすのでエネルギーが分散され、非効果的です。このようにして何の良い結果を期待できるでしょうか？　懸念と憂い、不安は主が命令されたようにすべてを主に任せて、私が持っている百パーセントのエネルギーと能力を総動員させて、私がやるべき価値のあることに飛び込まなければなりません。全力を尽くしても疲れることなので、エネルギーを分散させてはなりません。力を集中させることができるのがリーダーです。レーザービームは焦点が当てられ、集中された光です。

十人の弟子は、ヨハネとヤコブのしたことを聞いて怒りました。彼らはいつもあと一歩が遅いのです。イエス・キリストが弟子たちを呼び寄せて話しました。「あなたがたも知っているとおり、異邦人の支配者たちは人々に対して横柄にふるまい、偉い人たちは人々の上に権力をふるっています」（マタイ20・25）。どんな意味でしょうか？　霊的なリーダーと世俗的なリーダーの間には、白と黒のように明確な違いと対照があるというのです。イエス様の弟子たちは、いまだに世俗的な思考から抜け出すことができていなかったのです。ヨハネもヤコブもまたその母も、残りの弟子たちがこれから展開していく神様の国の新しい姿を知らずに、これまでのように自分の権力と自分の出世だけにとらわれていたのです。血と肉に従って生涯を生きてきた人々は、つまりこの世の中に育ち、この世の中で教育を受け、毎日同じ世の中で見聞きしながら生きてきました。私たちも知らないうちに、この世の中の考え方や生活様式に従って生きてきたのです。それで、私たちがイエス・キリストの教会に仕えながらも御国の原理や方法に従うことをしないで、世の中の方法を教会の中に持ち込み、その方法で教会を動かそうとします。多くの教会の問題がここにあります。「新しい酒は新しい革袋に」入れないと、新しい革袋があるにもかかわらず、新しい酒にもかかわらず、これまでの革袋に入れているのではないでしょうか？

世の中ではどうでしょうか？　「異邦人の支配者たちは人々に対して横柄にふるまい」（The rulers of the Gentiles lord it over them）――世界の権力者たちは、自分たちが支配者であり権力者であるため、自分に属する者を好きなように支配し、自分が望むように物事を進めます。自分と一緒に住み働く人々が何を考えているのか、彼らはどう感じているのか、全く気にしません。自分自身の欲望を満足させるためには、手段や方法を選びません。さらには、戦車やブルドーザーのように押し進み、何人かを下敷きにしても関係ないと言うのです。世界は自分のために存在しているという思想です。それで、強制的にでも自分が望むようにさせ、自分の意のままにさせるような生き方をする人を成功した人だと言います。多くの人がこのように「支配者」「統治者」、世界で「偉大な人」になることを望みますし、そうなるために手段や方法をますます使います。たとえ持っている権力が小さなものであっても、その権力を最大限に使って、死に物狂いで一発勝負に出ます。

信仰の共同体はどうなっているでしょうか？　基本的な礼儀もない教会の姿、教会を世の中の権力者のように運営しなければならないと広めた人たちの悲しい姿です。自分の世界を自分勝手に主張し、小さな権力を持っているだけで権威をふるわなければならないのでしょうか？　いつ私たちは変わるでしょうか？　いつ私たちは主の新しい世界を発見するでしょうか？　神様の新しい秩序をいつ学ぼうとしているのですか？

イエス・キリストは「しかし、あなたがたの間では、そうであってはなりません。あなたがたの間で偉くなりたいと思うも者は、皆に仕える者になりなさい」（マルコ10・43）とおっしゃいましたが、原文は二重強調になっています。英語で正確にもう一度言うなら「No! Not so among you!」と言わなければならないでしょう。つまり、イエスを信じる人々は教会の中では絶対に世の中の権威者のようにしてはならないと、熱を込めて強調します。イエス・キリストの弟子たちと世の中とは黒と白が違うように、絶対的に反対しろと言います。全く革命的な新時代をこの地に創造しようと、イエス様は来られました。信じる人に会えば、世とあまりにも異なる新鮮味を感じる必要があります。私たちの姿と生活様式を見て人々が驚く必要があります。教会は、権威や、地位や、職責で運営する場所ではありません。教会は、栄光と説得と志願する心（Inspiration, persuasion and motivation）を通して仕える場所です。

それでは、どのように自ら志願するようになるでしょうか？「あなたがたの間では、そうであってはなりません。あなたがたの間で偉くなりたいと思うも者は、皆に仕える者になりなさい。あなたがたの間で先頭に立ちたいと思う者は、皆のしもべになりなさい。人の子が、仕えられるためではなく仕えるために、また多くの人のための贖いの代価として、自分のいのちを与えるために来たのと、同じようにしなさい」（マタイ20・26～28）。ここに自主性とインスピレーションと説得が含まれています。霊的なリーダーシップは自分の偉大さを誇示するのではなく、教会員を偉大に作りあげていくのです。あなたの可能性がどれほど大きいことか、霊的な賜物がどれほど貴重か、あなたの奉仕を通してどれほど喜びを感じることか、神様の御国でどれほど大きなご褒美をいただくことか、あなた一人のおかげでどれほど偉大なことが起きることか、どのように神様の栄光を表すことか。このような驚くばかりの姿を一人ひとりに見せながら、私はしもべであり、教会のメンバーを主と同様に思い、主の喜びに焦点を合わせなければなりません。

リーダーは自分の偉大さを表す人ではなく、他者の偉大さを育てる人です。他人の可能性を最大限に発揮できるように作り上げていく人が優れたリーダーです。私たちの主ご自身が贖いとして来られたのも、私のような罪人を救い、神様の尊い子として生きることができるように来られたのです。主は天を離れて地に来られました。それで、地上に生きる私たちが天に行けるようになりました。宇宙を創造し、万物を所有しておられる方が私のために、寝床もない貧しい姿で来られ、私たちが天の栄光を求められるようにしてくださいました。イエス様のおかげで人間の子が神様の子となったのです。私たちのおかげで、私たちの周囲の人々が素晴らしい人となるのです。素晴らしいリーダーは、そうして多くの偉大な人に囲まれ、どこでも素晴らしい人だけを見て、楽しく生きるようになります。その方の隣に行くと、まさに素晴らしい人になったかのような待遇を受け、素晴らしい人になったような気分になるからです。良いリーダーは、それで幸せです。

2　パウロのリーダーシップ

リーダーがやることは何かを見ていきたいと思います。信仰者は自分の職分意識、自分の役割、立場に対する明確な意識が必要です。私は何をしている人か、私は誰であって何をするために仕事をしている人か、ということを正確に知ることが重要です。マタイの福音書20章でも見たように、この世の中の対人関係においては権力を執行するリーダーシップを発揮しなければならないと考えていたのに対し、イエス・キリストは「あなたがたの間では、そうであってはなりません。あなたがたの間で偉くなりたいと思う者は、皆に仕える者になりなさい」（26節）と仰いました。仕える者が偉大な者であるという、新たなパラダイムをおつくりになりました。これは人間の歴史では聞いたことのない、革命的な思想です。これまでバビロニア、アッシリア、ペルシャ、ローマ帝国や、ギリシア帝国などの為政者たちがどれほど権勢をふるってきたことでしょう。アッシリアの遺跡を発掘したものを見ると分かるように、自分の敵を捕虜として捉え、舌に穴をあけ紐を通して引っ張ります。これが世の中の方法です。自分が願うことをかなえるためには、手段や方法を選ばず、拳銃を突き出して権力を振り回すのが世の中の方法です。人類の歴史はこのようであり、イエス・キリストがお出でになり、あなたたちの間ではそうであってはならないとおっしゃいました。暗い世の中であまりにも美しく輝く真理を語るので、理解ができないのです。偉大な者になるには、仕える者にならなければなりません。最高になるには、しもべにならなければならないという力強い教訓です。

リーダーシップという題目を付けていますが、実際にはリーダーシップという単語を用いることに違和感があります。なぜなら、その単語に含意されている私たちの世の中的な概念のゆえです。アメリカの神学や機関においても church leadership、pastoral leadership のように leadership という単語をよく使用しますが、私はそれらを使うときも不便に思います。イエス・キリストが伝えようとしていることは、この世の中の言うようなリーダーシップではありません。私はこの言葉を奉仕者、または仕える者という意味で使いたいと思っています。アメリカの神学者や教会を研究している人々はそれを「servant leadership」と表現します。しもべの姿がリーダーの姿だというのです。イエス・キリストはリーダーという言葉を用いてはいません。

「仕える者になりなさい」とはどういう意味でしょうか?　私が会ったその人よりも、私が一段降りてその人を一段高くすること、私が小さくなることでその人を大きくすること、私が小さくなることでその人を立たせることです。相手を大きく高め偉大な者とすること、神様が創造されたその人の価値を高め、実行できるようにその人を助けることです。それがしもべの役割です。人間は罪びとです。自分が神様にとって罪びとであることも知らずに、その永遠なる神様が自分をどれほど愛してくださっているかも知らずに、放浪する魂です。永遠が何かを知らずに、自分の価値も、意味のある人生も知らずに生きているのです。私はそれを「失われた王座」と表現しました。自分が王の子どもであることを知らずに、乞食のように生きている人を、イエス様は天の新しい地位に回復させてくださるのです。自身が神様から来たのにもかかわらず、猿から来たと考えている科学者はどれほど悲しいことでしょう！　そのような中で福音を伝えるということは、とてつもない特権です。

世の中のメッセージで福音よりも大事なものはありません。あなたは神様から永遠に愛されていることを知っていますか？　神様があなたをどれほど愛しておられるか、神様のかたちに造られ、どれほど素晴らしいものを準備して神様の前に私たちが行くのを待っておられることか、あなた一人を救うためにイエス様がどのように十字架で血潮を流され亡くなったのかを教えることで、彼らに自分の価値と失われた王座を見つけ回復させることです。私たちが王の兄弟として、神様の子どもとして、より良い人生を歩むことを願っておられるのが神様のご計画ではありませんか！　それが福音です。汚れ傷ついた人に新しい服を着させ、痛む所を治癒させ、王子に造り変え、どこに行っても彼の姿を通して神様の姿が現れるように、そして最後には神様の国に連れて行き、神様と共に永遠に生きていけるようにする、驚くばかりの福音を私たちは伝える役目を負っています。人々にそう救えるように仕えることが、牧会者のリーダーとしての役割です。

ある地方で集会を終えると、「金先生、教会では誰がすべてを決定しますか？　金先生が決定するのでしょうか？　役員でしょうか？　先生の教会では誰が一番上ですか？」と聞かれました。私が「私たちの教会では教会員が一番上です」と答えると、そういうことではなく、誰が最も重要な決定権を持っているのかと、もう一度尋ねるのです。「一番上の方は主で、その次は教会員で、次は役員で、その次は私です。」そうすると、その方は私が冗談を言っていると思ったのです。教会ではイエス様を除いては、教会員よりも重要な人はいません。教会員のおかげで私が存在しているからです。私のために、講堂で説教をするためだけに牧師を呼んだのではありません。彼らが主人で、私は彼らに仕えるしもべです。私は主のことばに従って、彼らが偉大になるように造り変えられていくのを助ける人なのです。

イエス・キリストは、偉大になりたい者は仕える者になりなさいと仰いました。そのためには自分からへりくだっていかねばなりません。コリント人への手紙第一9章の使徒パウロの言葉を見てみると、私たちが何をするべきかが記されています。「私はだれに対しても自由ですが、より多くの人を獲得するためにすべての人の奴隷になりました」(19節)。ここに非常にユニークな真理が含まれています。使徒パウロは、自分が何者かを分かっています。自分の役割が何か、自分はどこの位置にいるのか、自分がやるべきことは何か、明確に理解しています。「私はだれに対しても自由である。」私は誰かに属するしもべではないのです。私は自由です。誰に頭を下げる必要もありませんし、誰かの足を洗う必要もありませんし、くだらない悲しい話を聞く必要もない、堂々とした自由人です。それもすべての人からです。借金もなく、人より勉強ができないわけでもありません。使徒パウロこそまさにヘブライ人であって、ベニヤミン族のパリサイ人、当時ローマ市民であり、世の中的には偉大な人でした。その時代に使徒パウロは比べられる人がいないような人物でした。それなのに「自ら」しもべになろうと志願したのでした。

私がしもべの姿となり、へりくだっていくのは、誰かが私にそうするように言ったからではありません。誰も私にしもべになるように言わなくても、私が願って自分から一段、二段、三段と下っていくのです。なぜなら、すべての人を偉大にするためには、私が床にうつぶせになるほかないからです。いつでも私がへりくだることで、私の周囲の人が高められ、偉大になっていくのです。それも誰かがやらせたからするのではなく、私が志願してやったので、誰が私にしもべだと言っても平気で、また何かを言われても平気なのです。しもべにならなければならない理由がなく、そうでなければならない種類の人でもないのにもかかわらず、そうなのです。

ここに秘密が隠れています。自分の身分は何ですか？　志願したしもべです。しもべには主のために仕える仕事があります。私たちは他の人に仕えるために、自分から進んでしもべになります。ところが大体の場合には、その概念が嫌なのです。この概念が難しいのなら、牧会をやらないほうがよいのです。これを理解できないならば、牧会をやるのは間違っています。

それでは、しもべとしての役割は何でしょうか？　一つは「より多くの人を得よう」とすることです。私たちの活動は、人々を得ることが最高の目標です。良い建物を持って、自分の名を有名にして名誉を得て、何かの地位を得ようとすることが牧会の目標ではありません。

牧会は人を得ることです。どのようにすれば一人ひとりに福音を伝えて、その人が変わっていくか、また一人がイエス・キリストの美しい姿に変えられて、その方を通してまた福音が伝えられていくか、ということに働きの焦点を合わせなければなりません。それなのに、役職が重要になると、役職のせいで牧会者は苦労をたくさんします。なぜ役職をそれほど必要とするのでしょうか？　劣等意識のためです。ある方は生涯にわたって役職を担いながらも、一人も伝道したことがありません。私たちに重要なのは、パウロのみことばのように福音を通して人を得ることです。救いを成すことが、私たちがしもべとしてやるべき最も重要な働きです。使徒パウロは私たちに、数人だけ救うように言ったでしょうか？　「より多くの人を得たい」と話しました。使徒パウロは欲が深いです。「より多くの人を得なさい。」ここに、自由人でありながら、自らしもべの座に下って行ったパウロの焦点がありました。つまり、多くの人にイエス・キリストに出会わせようとするのです。

「漁師の比喩」を知っていますか？　かつて漁師と呼ばれた人々がいました。湖や川にはおなかをすかせた魚が大勢いました。それなのに、毎週、毎月、毎年、漁師だという人々は魚を捕まえずに、会議室に集まって、漁業に関する討論だけをすることが仕事でした。新しい漁の仕方について話し合ったり、魚釣りとは何かについて新しい定義を検討しました。費用が膨大にかかる全国的なあるいは世界的な大会を主催し、漁業を後押しするような方法、新しい餌の開発、魚釣りの歴史などについて討論し、講演を聞きました。この漁師たちは大きくて美しい建物も建て、「漁師の総本部」と呼び――これがキリスト教センターです――すべての人が漁師になるべきだと、また漁師は魚を捕るべきだと主張しました。

一つだけこの漁師たちがやらなかったことは、魚を釣ることでした。漁師たちの意見が一致したのは、漁師たちは魚を捕ることに忠誠を誓うように、強く勧告するために委員会を組織しなければならないということでした。すぐに委員会を構成し、偉大なビジョンや勇気を持った漁師が魚釣りに関する演説をし、魚釣りに関する新たな考えを示し、本を執筆し、遠くに行き異なる色の魚を釣る案件を提示し、熱心に討論をしました。多大な額を費やして広い漁師訓練所を建て

――神学校です――、そこで漁師たちに魚釣りの方法を教えました。漁業学、釣り学、漁業の歴史を教える人たちはみな博士号を取得しています。それなのに、彼らは誰も魚を捕ったことがありません。ただ、漁業学を教えているだけでした。ある方々が研究所を多く持ち、旅行もたくさんし、漁業の歴史と政策を研究していましたし、数世紀前の先祖たちがどれほど偉大な漁場を経営したのかを見るために、遠く海外にまで行ったりしていました。遠い昔の漁場を遺産として残してくれている忠実な漁師を称える演説も行いました。この方々の講演を聞いて、多くの人々が漁業に従事しようと使命感を抱き、祈りました――神学生です――。それで、彼らを任命し、魚釣りに送り出し、ある者たちは海外にまで行き、そこでも魚釣りについて学んだのでした。

実際、多くの漁師たちが犠牲的な生活をしていますし、多くの困難に出会っているのも事実です。漁師たちは水辺に住みながら、毎日腐った魚の匂いを嗅いでいます――世界が腐敗したので。漁師社会に対する嘲笑を受けますし、毎週の漁師会にあまり参加しない会員（日曜礼拝にあまり参加しない人々）のために悩むことも多々あります。この方々は「わたしについて来なさい。人間をとる漁師にしてあげよう」（マタイ4・19）と言った漁師の親方に従おうとした人ではなかったようです。イエス・キリストは漁師をつくろうとしたにもかかわらず、この人たちはそうではありませんでした。いくら漁師だと主張しても、魚を捕らない人はまったく漁師ではないと言ったとき、その漁師たちは心から悲しみました。それで、その方の言葉が正しいのです。一年が経ち、二年が経っても魚を捕らない人が、どうして正しい漁師になり得るでしょうか？　魚を捕らない人が漁師の親方に従おうとした人だといえるでしょうか？　パウロも最後には「私はだれに対しても自由ですが、より多くの人を獲得するために、すべての人の奴隷となりました」（Ⅰコリント9・19）と言いました。

しもべの二つ目の目標は「私は福音のためにあらゆることをしています。私も福音の恵みをともに受ける者となるためです」（Ⅰコリント9・23）。福音のために、人のために、使徒パウロの心を引き上げたのです。人はみな違います。それで使徒パウロは適応性を発揮し、ユダヤ人にはユダヤ人のようになり、律法のもとにいる人には自らも律法のもとにいるかのようになり、異邦人には異邦人のようになり、信仰の弱い者には信仰の弱い者のようになりました。仕える者の態度が明確ではなければなりません。どのようにすればよく仕えることができるのか、ゴムのように伸びたり縮んだりしなければなりません。神様に仕えるしもべは、人々に自分について来るように言うのではなく、その人たちに合わせていくのです。つまり、適応性、伸縮性、融通性がなければなりません。人を得るためには、自分自身を脇に置いて、彼らに合わせながら、絶えず自分を変化させることが必要です。

どんな仕事をするとしても、いつも三つのことを区別することが助けになるでしょう。

一つ目は、これが確かな神様の啓示なのか。もしそうならば、一歩も譲歩する必要はありません。確かに神様のみことばが示されているのなら、一歩も引きさがることはできません。

二つ目は、はっきりしない神様の啓示です。神様の啓示を模倣したものの場合があります。明確でないのなら、自分で自分の信条を維持しながら、他者の信条を尊重し維持するようにしなければなりません。確かではないから、ある程度の見解の違いがあることでしょう。

三つ目は、神様の啓示とは関係のないものです。礼拝を九時からにするか、あるいは十一時からにするか、役員を三人選出するのか、または五人にするのか、カーペットを朱色にするのか、あるいは茶色にするのかというのは、非本質的な問題です。私は三つ目のような問題にはあまり関与したくはありません。確かな神様の啓示について行くだけでも時間が足りないのに、非本質的な問題の一つ一つについて、すべて私が決定し主導するのでは疲れてしまうでしょう。非本質的な問題は大部分の人々が望むように進めばよいのです。ところが、教会には多くの場合に非啓示的な問題のために葛藤を経験し、人々の間に難しさを覚えます。このようなものは互いに譲り合うことが有益です。

使徒たちは「みことばと祈り」に専念しました。牧会でも同様です。牧会者の主な任務はみことばと祈りです。私たちの仕事は霊的な仕事だからです。そこに集中して、他の仕事をするために教会メンバーや役員を立てるのです。時間がなく、仕事が多く、あまりにも忙しいので、神様の絶対的な真理だけを携えていくのにも時間が足りないのです。ですから、非本質的な問題は置いておき、右往左往する必要はありません。教会員が絶対的な真理のみことばを聞いて、健康的な生活を送るのなら、何をしてもかまいません。永遠に生きられるのであれば、他に何をするとしても大きな問題にはなりません。私たちは神様のみことばをほかにしては、いつでも譲歩し、伸縮性があり、互いに適応しながら教会生活を送ればよいのです。

教会員たちがたまに、私に「先生、これはどのようにすればよいでしょうか?」と聞きます。そのときに私が「こうしてください」と言えば、どれほどかっこいいことでしょう! 王のような気分を味わい、権威もあります。しかし私は役員の意見を聞き、その役員の意見が良ければ――その人の考えが聖書に違反せず、間違いがなく、正しければ――「良い考えです。そのようにしてください」と言います。そうすれば、自分が出した意見を尊重され、自分の考えを遂行できるので、本人も喜びます。しかし、ある人は「なぜ先生は、こうしてくださいと言わないのですか?」と聞くこともあります。それで私は、このように答えます。「私は聖書と祈りが専門なのです。その問題は、実務をやっておられる役員さんが私よりも詳しいではありませんか?」

あるときは、牧師が役員よりもうまく考えられることもあるでしょう。教会の運営について学び、毎日牧会を考えているので、誰よりも教会や牧会に関して綿密に研究しているので、牧師が最もよく知っています。それでも、牧師だからといってすべての問題に絶対的な権威を遂行する必要はありません。特に最近は、信徒たちがどれほど賢くあるでしょうか？　賢い人は賢く、賢くない人も賢いふりをするので、みなが賢そうではありませんか？　ですから、彼らに仕事をしてもらうと——啓示的な問題を除いて——誰もが私よりも優れています。それで今、教会は大きなことができる可能性があります。これから、そのような良い教会員を率いて牧会の働きをすることができるのは、祝福された事実でしょう。

そのためには、私たちが自制し、自分自身をセーブします。また、イエス・キリストの福音によって私たちの周囲にいる人々が、神様から見て美しく、偉大な人に造り変えられるのならば、その信徒を通して伝道がなされ、成長し、多くの善を得ることができます。皆さんが養育した多くの偉大な人々の間において働ける、祝福された牧会者になることを願います。こちらを見たら美しい教会員がいて、あちらを見ると成熟した教会員がいるように、神様の人々を大勢養育しておくと、賢い人々の間に挟まれているその牧師は、自分の気が付かないうちに幸せになっていきます。満足する人生を歩むことができます。

3　ダビデのリーダーシップ

私は創世記のヨセフがとても好きなので、最初、私の名前をヨセフにしようかと思って「ヨセフ サンボク キム」としてみました。しかし、アメリカの子どもたちはヨセフ（Joseph. 愛称Joe）と言わずに、「ヘイ、ジョー（Hey, Joe)」と言うのです。牧師に「ヘイ、ジョー」と言うのはいかがなものでしょうか？　それに子どもが好きなアメリカの軍人GIジョーというおもちゃがあるので、子どもたちが幼いころから好んでいます。私を「ジョー」と呼ばせると、牧師がGIジョーというおもちゃを思い出させるようです。それにヨセフはあまりにも完璧ではありませんか？　とても完全なので私にはやや負担に感じたので、その完全な人をモデルにしてついて行けないようであれば、きっと罪悪感が大きくなるだろうと思いました。それで、ヨセフは尊敬するとして、ダビデと名前を決めました。

ダビデは長所も短所もあり、普通の人と同じような人です。失敗もたくさんしました。姦淫し、殺人し、嘘もつき、敵に神様を讒訴（ざんそ）させるなど、足りない人間の姿が表れています。それなのに、神様はダビデを神様の心にふさわしい人だとおっしゃいました。私はそれを読むたびに、どうしてこのような人を神様の心にふさわしいと言ったのか、あるときまでは理解できませんでした。長く黙想していくうちに、ダビデを神様が気に入った意味が理解できました。神様の心に気に入られたのは、彼が琴をうまく演奏するからではなく、石投げがうまいからでもなく、詩がうまいからでもなく、罪を犯したことがないからでもありません。なぜ神様の心にかなっているのでしょうか？　ダビデには神様を心から愛する気持ちがあったからです。足りないことも多いでしょう。姦淫事件、殺人事件、嘘、罪の隠蔽など多くの罪があり、私たちすべてのように弱い人間にすぎませんでしたが、ダビデにあった一つのことは神様に向かう一途な思いでした。

神様が私たちを用いてくださるとしても、それは人が博士号を取得しているから用いるのではありません。博士号があろうとなかろうと、神様の心にふさわしいので用いてくださるのです。失敗や間違いのない者ではありませんが、神様の前でたまにこのような祈りをささげたくなるときがあります。「主よ！　私は足りませんが、一つだけ主に話したいことがあります。私は知恵も足りないし、能力も足りないし、すべてが足りませんが、他に言うことはなく、ただ一つ、『主よ、愛しています』ただただそれだけです。主よ、私にはほかのことは分かりません。一つだけ知っているのは『主を愛している』ことです。」

このような姿が、ダビデがどのような人であったかをよく教えてくれます。皆さんはそれぞれ良い家柄に生まれたか、あまり良くない家柄に生まれたか、どれほど説教がうまく勉強がよくできるか、それを私は知ることができません。難しい背景を持って育ってきたか、あるいは良い背景のもとで育ってきたか、知ることができません。しかし、私たちみなが行うことは、「主よ、私は主を愛しています」と言うこと。主という言葉を聞いただけで、寝ていてもハッと起き、服を正して「主よ、おいでになられましたか？　私はここにいます。どうぞお話しください」。このようになれればと思います。

私はたくさんの決心をしてきました。特に一月一日には、新年の抱負を書いたこともあります。アメリカ人はそれを新年の決心（New Year's resolution）と言います。何年も決心し、サインもしてきましたが、一度もすべてを守ったことがなく、最近はしなくなりました。約束をして実行しないので、いたずらに罪を重ね、罪悪感だけが生まれます。約束して破るのに、なぜ約束するのでしょうか？　それで最近は一月一日になると、「主よ、また一月一日です。過ぎた年のように、今年も一歩ずつ導いてください。主が力を与えてくださり、一日一日を主に仕えさせてください」と懇願します。

私がアメリカに来たときには賢くなるために来ましたが、大学生時代にアメリカやドイツに留学した教授たちを見るとどれほど尊敬できることか。私も留学から帰ったらハイデッガーやキエルケゴールの講演をしてみたいと思ってアメリカに来たのに、すべてを忘れて、今は「主よ、私に恵みを与えてください」という言葉だけが出るので、あるときには悲しくなります。

しかし主を愛し、より頼みたいという告白が口から出たときから、生きていく楽しみを感じます。私たちの主のほかには知らないダビデのその姿、「主は私の羊飼い……主は私の光……私の避けどころ……主は私の救い……」神様を大事にするその一事によって、ダビデは神様の心にかなう人になったのです。その態度は私たちにもできることです。

•リーダーになるための環境の克服

ダビデがどうして最も神様の御心にかなった人であるかを見てきました。他のどんな言葉よりも、彼の心の中には神様という一言だけで居住まいを正すほどの神様に対する敬意と愛がありました。他の能力もなく、学識もお金も多くはありませんが、たった一つ「主よ、私は主を愛します。主のほかに愛するものはこの世にはありません」。このような信仰告白がダビデの心の中にあることを見てきました。神様を愛するか否かは、外から見ただけでは分かりません。

姿を見るだけで敬虔な人だろうと思える人がいます。しかし、その敬虔さが間違っているのなら、それはおかしくなります。私は一度、ある教会の修養会に行きました。土曜日の午後に全教会員が共にゲームをして遊んでいました。皆が一緒に綱引きを楽しくしているのに、少し離れた木の下である女性が目をつぶってじっと座っていました。それで「あの方は一緒に遊ばないのでしょうか?」と聞くと、「あの方はたくさん祈る方なのですが、あまり皆と交わりません」と言います。これが敬虔な人でしょうか? 「敬虔な形」ではありますが、役には立ちません。神様を愛することを通り越して、遊ぶ時間にも祈っています……そのような姿は人々にとってむしろ目をそむけたくなります。あまりにも敬虔すぎるからです。敬虔は内に秘めるものであり、私たちの心の内からにじみ出るものであり、外側だけに敬虔さを取り繕うものであってはなりません。

サムエル記第一16章11節を見ると、ダビデは八人兄弟の末っ子でした。末っ子だったから神様が選択したのではなく、八人目の子どもであるにもかかわらず神様が彼を選択したのです。もう一度言うなら、神様が用いてくださる人々は彼らの環境や条件にかかわらず用いられるのです。あるときには、私たちは環境に過剰に縛られているので、神様に用いられることができない場合もあります。私は頭が悪いから、あるいは良い家庭環境で育ってこなかったので、私は手が一つ使えないので、というように外的な理由のために、神様に用いられないことがあるでしょうか?

むしろ、目が見えないので主により頼みながら目が見える人よりも大きく用いられたヘレンケラー女史や、ファニー・クロスビーのような有名な讃美歌作家のような場合を私たちは知っているではありませんか! 二人はともに目が見えませんが。

勝利者は「どのようにできるか」を考え、敗者は「なぜできないのか」を考えるといいます。二つの反する考えは、考える時間やそのための能力は同じです。私たちが弱く環境が不足していても、私たちには神様がいらっしゃるので、神様が私たちのために戦ってくださいます。私の能力が不足しても関係ないのは、神様の能力がそのくらいより大きく現れるからです。

イスラエルの民たちは戦争の際に、「あなたがたの神、主があなたがたとともに行って、あなたがたのために敵と戦い、あなたがたに勝利を得させてくださる」（申命記20章4節）と約束されました。私たちのために戦ってくださるその方に、私たちの目を向けるべきです。神様が共にいてくださる所に、歴史があらわされます。イエス・キリストはどの部族に生まれたでしょうか？ユダ族です。ユダが何番目の子か覚えていますか？　四番目です。長男でも、次男でも、三男でもありません。それなのに、なぜユダなのでしょうか？　ヤコブが家長としてのリーダーシップを諦めたとき、四男のユダが立ち上がってリーダーシップを発揮しました。ヤコブが自分の末っ子すら失う状況になると、恐れから座り込んでしまいました。ベニヤミンをエジプトに行かせられないということです。そのようなときには家族を守るために長男が立ち上がるのが普通ではありませんか？　長男が危機に陥ったとき、リーダーシップを棄権しました。次男も、三男も棄権したとき、危機を感じた四男のユダが立ち上がったのです。結局、ユダがヤコブの家族を救う役割を果たしました。危機のためにユダはリーダーシップを発揮し、イスラエルのリーダーになり、メシアの家門となったのです。何番目の息子か、どのような環境にいるかは問題ではありません。リーダーシップを発揮するときに、環境や条件は問題ではありません。信仰があればよいのです。信仰は勇気です。

●今日に忠実に

二つ目に、神様のために、イエス様の教会のために「私も二十年後には良い牧師になっているだろう!」と考えているのなら、それは間違いです! 二十年後になるのではなく、リーダーは今見れば分かります。今日に忠誠を誓う姿を見れば分かります。ダビデはそのような人でした。サムエルがダビデを呼んだとき、他の兄弟はみな家にいました。サムエルは家にいる七人の兄弟を順番に見ました。サムエルは長男が神様の選択した人だと思っていました。長男であり、かつリーダーにふさわしい外見でかっこよかったからです。そのときダビデはどこにいたでしょうか? 野原で羊の世話をしていました。成功はいつするのでしょうか? 今日するのです。十五年、二十年後ではありません。今日を誠実に歩む人が十五年後にも二十年後にも誠実な人です。

何年も神学校で教えながら多くの学生たちを見てきました。学生たちを観察していると、一年生の一学期にはすでにその学生がその後どうなっていくのかを予想することができます。あるテーマについて十ページのレポート課題を出すと、このような質問を受けます。「表紙も入れて十ページですか？」「参考文献もその中に含めますか？」どうすればより少ない分量ですむかを考え、十ページの中に参考文献も表紙も目次も組み込み、本文は六、七ページでよいのかと聞きます。もうすでに分かります。このような場合を英語で cut corner と言います。まっすぐに進まなければならないのに、ちょっと近道をします。一度や二度はそういう道を通ることもあるでしょう。しかし、十五年後には cut corner の専門家になりかねません。ある学生は cut corner をし、ある学生は十ページを本文で埋めます。そのとき、すでに差が生まれるのです。今日に忠実な学生は十ページを本文で書き、その次にカバーページ、参考文献、目次、序論というように全部で十四ページを提出しました。しかし、cut corner をした学生はやっとのことで六ページの本文を書き、その課題をやり過ごしました。

このような方法で神学大学の三年が過ぎたころ、どのような結果になるでしょうか？　一人はやっとのことでここまで来ているのに、ある人はすでにあちらまで行っています。牧会をしに出て行っても、学生時代のようにある牧師はずる賢く近道を選択し、またある牧師は与えられた現実に誠実です。すぐにはその差は分からないでしょう。私たちの中にも、この時間に cut corner

をする人々がいるのなら、誠実に学んでいる人々もいます。今はそれほど重要ではないようでも、これから二十年後、三十年後には必ず大きな差になっていることでしょう。

サムエルがダビデに会ったとき、すでにダビデは忠実な人であることが分かりました。そのような例が聖書にはほかにもあります。ルツ記に登場するルツとオルバです。ルツとオルバはことごとく同じでした。二人ともモアブの女性で、二人とも結婚していました。そして二人とも夫がいませんでした。また、二人とも子どもがいませんでした。姑が二人に、家に帰って再婚するように言ったところ、二人とも姑について行くと言いました。出発は一緒にしたのですが、忠誠心がどうかで、全く異なる結果となりました。英語の聖書にはこのように描かれています。「Ruth clung to Naomi but Orpah kissed her mother in-law goodbye.」その時点でルツはダビデのおばあちゃんとなり、イエス様の先祖となり、オルバは歴史から去っていきました。始めるときはそれほど違いがないと思っても、最後まで忠実であったルツを神様はダビデのおばあちゃんとしたのです。

●自身を整える

三つ目に、ダビデは魅力的な人でした。サムエル記第一16章12節には「彼は血色が良く、目が美しく、姿も立派だった」といわれてます。かっこいい人は、初めて会ったときから良い印象があります。同じように人に会っても、かっこいい人はすぐに周囲の人の関心をひきつけます。ところが二度、三度と会い、十回会ったときにはその人の真相が明らかになります。時間が経つにつれて、その人の本当の姿が明らかになるからです。長く付き合えば付き合うほど、隠していた姿が明らかになります。なぜそうなのでしょうか？　人の真価はその内面にあるからです。それなのに、かっこいい人は自分がかっこいいと信じて、それ以上自分の価値に対する開発をしないことがあります。しかし外見がやや足りない人は、ある意味で内面の能力を開発できる神様の祝福を受けた人かもしれません。内面の素質を開発していくよい動機になるからです。

真価は時間が経つにつれて現れます。同じものであるなら、外見も良く内面も良ければ、より良いのです。二つを兼備している人は珍しくありません。7節には「彼の容貌や背の高さを見てはならない。……人はうわべを見るが、主は心を見る」と言っています。だからと言って、私たちが中心だけが良ければよいという結論を下すなら、そのみことばを完全に理解していないことになります。神様は「人はうわべを見るが」と言いました。神様の絶対的な啓示、霊感されたみことばの中に、聖霊が用いたことばの中に「人はうわべを見るが、主は心を見る」とおっしゃいました。ここで神様は心を見ると言われましたが、人が心を見るとは言っていません。これが、私たちが覚えておくべき一つの卓越した真理です。

それで、人々が好きなように装い、主は自分の内面を見てくださるからと言って外見をないがしろにするなら、神様が「人はうわべを見るが……」と言われたこのみことばを忘れたことになります。人は外見を見ると言います。であれば、皆さんは牧会者としてどのような外見であるべきでしょうか？　牧会者たちは外見も整えるべきです。髪の毛、服、物腰、話す態度などなど、会ったときに「あの人とても気に入った。それで、後から知ったんだけれど、牧師だって」――このような言葉を聞きたいものです。昔は道すがら牧師を見つけるとすぐに分かったものでした。手に持った聖書、その方の表情、歩き方……そのように牧師らしさを醸し出そうというのではありません。ふと見ると平凡な人のようですが、しばし会話をするとその中からにじみ出る霊的な力と素質から感動を受け、「このような人が牧師であったら……」と思う。このようになれるでしょうか？　内面と外見を双方ともに開発していくクリスチャンならどうでしょう？　私たちの外見は生まれつきなので、変えることができません。変えることのできないものはそのまま受け入れ、私たちが変えることのできるものは変えていき、発展させる必要があります。

人々は二種類に分けられます。会えば会うほど価値が減少する人がおり、一方では時間が経つにつれて価値が表れる人がいます。その人は、それまで自分がどのように生きてきたのかを見せてくれます。それで、私たちはできる限り一生懸命に勉強をし、外見にも気を配り、内面の美しさも開発し、会話の技術も学ばなければなりません。しかし、変えることのできないものはそのままにしておき、私たちが変えることのできるものを発展させていきます。そうして好感の持てる人になり、人々が私たちに惹かれるとき、福音を伝えて、みことばで人々を助けることができます。

しかし、私たちが自分の変えられない外見に対して不満を言うのは問題です。自分に不満を持ち自分を受け入れられないのなら、その人は幸せになれません。自分が自分を好きではないのに、誰かが私を好きになってくれるでしょうか？　それでは人々をよく率いていく牧会者になることはできません。なぜ、そうなのでしょうか？　神様が絶対的な支配の下で私を私であるように固有のものとして造ってくださったのに、神様の被造物である私を好きにならないのなら、それは私に対する不満ではなく、創造主である神様に対する不平になるからです。

ダビデのような態度を持たなければなりません。ダビデは詩篇139篇14節で「私は感謝します。あなたは私に奇しいことをなさって恐ろしいほどです（I will praise thee, Oh God.）」と言っています。なぜ賛美するのでしょうか？　自分を不思議に驚くばかりに造られたこと、また「あなたこそ　私の内臓を造り／母の胎の内で私を組み立てられた方です」（詩篇139篇13節）とあるように造られたことを知っているからです。自分自身を神様が創造したそのままで受け入れて、神様に感謝し、そして自分が開発できる部分は好感が持てるように開発するとき、まさにダビデの姿と同じようなります。そのようなリーダーの姿はかっこいいのです。私たちがダビデと同じ姿の人になって働くならば、どんなに良いことでしょう。私たちが主の人として、神様が見る内なる心と外見の才能を開発することで、神様の恵みを与えられ素晴らしい主の人になることを願います。

●魅力のある人

ダビデがある日ゴリアテを一撃で倒し、イスラエルの歴史は変わりました。このようなことはある日突然起きたことでしょうか？　イスラエルの王の中で一番偉大な指導者になったのは、たった一晩でなれたことだと思っていないでしょうか？　ダビデがダビデらしくなったのには理由があります。海面に小さな氷山が見えますが。見える氷山の下には大きな氷山があるのです。

ダビデはある日突然、剣を振りかざして出て行き、ゴリアテを撃ったのではありません。それを成し遂げさせた一つのことは、羊飼い生活の中で培ったものでした。兄弟がみな家で休んでいるときも、ダビデは外で羊の面倒を見ながら、羊飼いとして羊に対する責任感を育みました。幼いころから、任せられた役割を通して、多くのことをよく開発したことを見ることができます。またもう一つ、荒野の逃避生活でした。サウルから追われて七年間逃亡しながら苦難を受けた出来事がありました。この二つの背景を通して、ダビデは将来王になる素質を開発したのです。

私はアメリカに行って最初に学んだとき、ある有名な神学校の校長のメッセージを聞きました。メッセージは「言葉で伝道するな」という内容でした。「言葉でやるな。ただ生活の中でクリスチャンの人生を歩め」と言われました。その先生はとても純粋な方で、頭は白髪で権威がありながらも、柔らかく見えるかっこよさがありました。その日からすぐに網をすべて捨てて、その人について行きたくなるような魅力がありました。「いわゆる自由主義的な神学を教える神学校の校長として多くの人に影響を及ぼしている、その方を表面的に見るだけでもあんなにかっこいいのに、福音主義の真理を持っている私たちはどんなものか?」という感じを抱きました。

伝統的な真理に従うこの人たちは、自由主義の神学を持つ人よりも言葉や行動によって品位がなければならないと思いませんか?「この人はなぜ、それほど影響力が大きいのか」と、その方の品位と態度と講義にとても好感が持てました。それなのに、いわゆる保守的な人たちは一言発しても歯ぎしりをしながら怒って話します。また、真理に反するものを嫌って、声を荒げます。真理の人であるほど、人々が好感を持てるようにならなくてはと感じます。その人が嫌いなら、その人の話すことも嫌で、その人がどんな話をしても意味がありません。

●神様の臨在

サムエル記第一16章13節には「主の霊がその日以来、ダビデの上に激しく下った」ということばがあります。旧約聖書を見ると、いつも出てくる表現の一つに「主が～とともにおられた(The Lord was with him.)」があります。そのことばがあれば、その人は大丈夫です。「主がアブラハムとともにおられた」「主がイサクと」「主がヤコブと」「主がヨセフと」「主が彼とともにおられた」といえばそれで完了です。その人は成功したのです。霊的な真理は簡単です。

多くの人が、イエスを信じることは難しいことだと思っています。私の人生においてもイエスを信じることは難しいときがあります。しかしよく見ると、イエスを信じることは簡単なことです。主がすべてであり、自分がばかになればよいのです。立ち上がれと言われたら立ち上がり、座れと言われたら座り、行けと言われたら行って、止まれと言われたら止まればよいのです。どういうときにイエス様を信じることが難しいのかというと、自分が賢く優れていることを知ったときからです。やれと言われたとおりにやらないとき、イエス様のみことばに従わず、自分が楽な生き方ではイエス様をはずし、損をしかねないときにはみことばを無視したり捨てたりする。

そのようなときからはイエス・キリストを信じることが難しくなります。左右にぶれずに、「死ぬまで忠誠を誓います」と言って単純に従うそのとき、生き残ります。いのちを捨てれば得ることができ、得ようとするなら失うというイエス・キリストの原理です。

「主が彼とともにおられた」ダビデには主の臨在がありました。「見よ、わたしは戸の外に立ってたたいている。だれでも、わたしの声を聞いて戸を開けるなら、わたしはその人のところに入って彼とともに食事をし、彼もわたしとともに食事をする」（黙示録3・20）。心の門を主に開けば、その方が私たちのうちに入って来ると約束なさいました。イエス様を信じる瞬間に、私のところに来てくださるので、主が私とともにおられることが信じられますし分かります。どのように分かるでしょうか？　信仰によって救われた人は信仰によって分かります。主がおっしゃったみことばのとおりに信じて、主の臨在を確信します。そのような確信のある人がダビデでした。「あなたがたは、信仰に生きているかどうか、自分自身を試し、吟味しなさい。それとも、あなたがたは自分自身のことを、自分のうちにイエス・キリストがおられることを、自覚していないのですか」（Ⅱコリント13・5）。「あなたがたは、自分が神の宮であり、神の御霊が自分のうちに住んでおられることを知らないのですか」（Ⅰコリント3・16、6・19も参照）。

主が私たちとともにいてくださいます。私の前にも後ろにも、右側にも左側にも、あの空の終わりまで主がいます。また海の底にもおられ、死の陰にもおられ、私の中にもおられます。それで「私は決して孤独ではない。私は決して一人でいたときがないから。(I am never lonely, for I am never alone.)」この世界のどこにおいても、全世界が私に反対しても、恐れることがありません。主が私とともにおられるから。この真理を知り、信じていた人がダビデです。

神様の臨在を知っている人と知らない人、神様が私とともにおられるとの確信のある人とない人の間には、とても大きな違いがあります。

「主よ、私とともにいてください。」私はこのようには教えません。このような祈りは神学的に間違っているように思います。「主よ、私とともにいてくださり感謝します。」祈りが違います。主が私とともにいてくださることを願うのではありません。主が私の心の門をたたいたときに、私が門を開けたから主が入って来てくださり、そのときから世の終わりまでいつもともにいてくださいます。私の中に来てくださり内住してから長いのに、なぜ主にともにいてくださいと祈るのですか?「そしてわたしが父にお願いすると、父はもう一人の助け主をお与えくださり、その助け主がいつまでも、あなたがたとともにいるようにしてくださいます。この方は真理の御霊です。世はこの方を見ることも知ることもないので、受け入れることができません。あなたがたは、この方を知っています。この方はあなたがたとともにおられ、また、あなたがたのうちにおられるようになるのです」（ヨハネ14・16～17）と主が宣言したのに、なぜ今すぐに去って行く人を引き留めるかのように、ともにいてほしい、去らないでほしい、と祈るのですか？　主が去って行くと言いましたか？　主のみことばを信じて、その信仰の上で行動しなければなりません。

主は私たちの中に、私たちとともにいてくださいます。聖霊はひとときも離れたことがなく、永遠に私たちとともにおられます。それで、イエス・キリストを信じて以降、私たちは一人でいたことがありません。いつでも主とともに、私の心のうちに生きておられるその方と生きていくことが、信仰生活です。この真理を信じて知っているときには、敵が来ても恐ろしくなく、山が崩れても恐ろしくなく、虎が来ても恐ろしくないことでしょう。この確信が皆さんの胸のうちに、今日あることを願います。次から皆さんが祈るとき、「主よ、今日も私とともにいてくださり感謝します。この困難の中でも、この敵たちが私を囲み殺そうとするこの時間にも、私とともにいてくださり感謝します」と祈ってください。間違った祈りは私たちを不安にさせます。

サウルの問題が、イスラエルの民の問題が、ゴリアテに会ったときの問題がまさにそれでした。その半面、ダビデは神様がともにいてくださるという確信のもとで、勇気と自信と力のある人になったのです。ネヘミヤも「主を喜ぶことは、あなたがたの力（The joy of Lord is my strength）」だと言いました（ネヘミヤ8・10）。そこから力と勇気が出てくるのです。それでダビデは「勇敢な人」だと言われたのです。

人間的な自信は、自分自身を信じる自信（self-confidence）です。しかし、霊的な自信は主が私とともにおられるので、主による自信（God-confidence）なのです。誰が成功し、誰が幸せで、誰が良い仕事をするでしょうか？　自信のある人です。自信のない人はリーダーになることができません。天空が崩れても神様の力により頼み、耐えられる人が自信のある人です。自信があるのは、自分の能力があるからではありません。私の中に臨在し、私に能力を与えてくださる神様のおかげであるのです。なぜ、そうなのでしょうか？　神様は私の敵よりも大きいからです。私のうちにいる方が、この世界にいる者よりも偉大だと、聖書は語っています（greater is he that is in you than he who is in the world）（Iヨハネ4・4）。世界にある悪とサタンよりも、私の小さな身体にいてくださる絶対者であるその方はより大きく、より偉大な方で、その方は無限で、全能者であるので、私たちは少しも恐れがありません。

なぜ、恐れが生じるでしょうか？　目を主から背け、大きな敵を見上げるとき、ゴリアテを見上げるときに恐れが生まれます。私たちの信仰の始めであり、完成させてくださるその主を見上げましょう（Looking unto Jesus, the author and finisher of our faith.）（ヘブル12・12）。信仰を始められるその方、私の中で善を行われるその方が、私たちの主が来られるまで完成させることを信じる。その日、その主を見上げる目を持つことが必要です（ピリピ1・6）。主がともにおられるので、一瞬一瞬ごとに「おお、主よ。この時間にも私とともにいてくださり感謝します。私は弱いので、この難しい問題を私のうちにおられる主が成し遂げてくださると知っています、感謝します」と祈りましょう。サタンの勢力は私たちを脅かすことができません。

もしもサタンが私たちの門をたたくとき、みなさんがその門を開けて出るなら殴られます。サタンと皆さんが戦えば、皆さんは耐えることができません。サタンが最も強い者ではありませんが、私たちよりは大きいのです。人間の能力では彼らに耐えることができません。サタンは雷も起こし、ヨブの羊やしもべや彼の子孫を殺すこともできますし、ヨブの身体に疾病を起こすこともできます。サタンは堕落した天使であるために、普通の能力ではありません。創造された三人の大天使のうちの一人でした。まるで蟻を私たちになぞらえるかのようです。私たちは創造されたときから重いものを持てる力を持って創造されました。蟻は持てませんが、私は持つことができますし、投げる力も持っています。悪のために力を使うこともできます。サタンは自分の驚くばかりの力を悪のために使うので、私たち自身の力ではサタンと一対一で戦って勝つことができません。私たちは血と肉によって戦うのではなく、主の能力によって戦うのです（エペソ6・10）。ですから、主が私とともにおられることに対する確信を持つとき、私の力ではなく、私の中に働かれる聖霊の能力が、宇宙をことばによって創造されたその能力が、私たちを通して表れることができるのです。

●能力の開発

ダビデは羊飼いの生活の中ですでに、様々な能力を開発していた人でした。石投げ、琴の演奏、詩篇の著作・文を書く能力をとても若いうちから開発していました。彼は時間を浪費しませんでした。時間さえあれば、石投げを使って悪い獣を追い払う練習をし、楽器は演奏者のレベルにまで到達していました。ダビデは青少年のころ無駄な生活をせずに、努力してそれらの能力を開発していたのです。「機会を十分に活かしなさい。悪い時代だからです（Redeeming the time, because the day are evil.）」（エペソ5・16）。時間の貯蓄は恵みの残高と等しいのです。貯金をせずに絶えずカードを使えば、いつか底がつきます。神様の公平さの一つは時間です。すべての人に同じ二十四時間を下さいました。与えられた二十四時間を自身のリーダーシップの開発のために幼いころから有効にうまく使ってきた人は、機会が訪れたときにリーダーとして用いられる準備ができており、無駄に時間を浪費していた人は年を重ねても中身は空っぽのままです。ダビデは石投げを普段からよく訓練していましたが、それを神様が用いてくださったのです。

•生き生きとした信仰

ダビデは信仰の人です。生きておられる神様に対する確実な信仰のある人です。私の神様は居眠りをしている方でもなく、休暇に行かれる神様でもなく、ものが見えない神様でもなく、死んだ棒切れのような神様でもなく、「私の信じている神様は生きておられる神様（the living God）です」。ここにダビデの偉大な力があります。いくつかの石と羊飼いの杖を持って出て行きますが、自分の杖で勝つのではなく、自分の石で勝つのでもなく、生きておられる神様、その方のおかげで勝つことができるという、自分の神様を信じる神学をしっかり学んだ人です。

この信仰がある人には、敵がどれほど大きいかが問題ではありません。生きておられる神様に対する自分の信仰があるか、これが問題です。なぜ、そうなのでしょうか？　神様は永遠の方で、無限の方です。「無限大」プラス「私」であるなら、私は何になるでしょう？　「無限大」になります。「私」マイナス「無限大」は何になりますか？　「マイナス無限大」です。ですから、どれほど大きな問題が私たちの人生を阻んでいても、どれほど大きな試練が私を取り囲んでいても、問題ではありません。私の神様は生きておられ、私の人生に働かれるかどうか、これが問題です。生きておられる神様の名によって石を投げるときに、神様がミサイルを導くようにゴリアテのおでこに命中させ、倒してくださいます。

敵が大きいとなぜ良いのでしょうか？　敵が大きければ、私が戦う必要がなく、また私が戦える相手ではないからです。私と相手にならず、到底私にはかなわない敵なのに、なぜ私が戦う必要があるのでしょうか？　なぜ皆さんが苦労するか知っていますか？　自分が戦える敵と戦えない敵を見分けられないからです。ある人は、自分の能力よりもあまりにも大きな敵に自らの力で立ち向かうので倒れてしまいます。殴られ、倒れて、号泣しても、また殴られて泣いています。敵の大きさを見分けなければなりません。自分の能力を超越する大きな敵は、自分が立ち向かう敵ではありません。主に任せていれば、主が処理してくださいます。

コリント人への手紙第一10章13節には、耐えられないほどの試練を私たちに与えられないと言われています。つまり、私が耐えられないことは私には与えられないということです。もし私が六十キログラムを持ち上げることができるとします。四十八キログラムを持ち上げるときはすんなり持ち上げます。しかし、六十五キログラムを持ち上げるように言われたら、それは私がやるべきことではありません。もし、私が六十五キログラムを持ち上げようとするなら、疲れてしまい、苦労するだけで結局持ち上げることができずに終わるでしょう。主に聞いてみる必要がありません。私の前にある荷物が六十キログラム以下か、それ以上かを知らなければなりません。神様は私に六十キログラム以上を持ち上げるようには言いません。それは、その方が自ら持ってくださると約束なさいました。なぜ悩まないのでしょうか？　生きておられる神様が六十キログラム以上を持ってくださると言われたからです。

私にこの講壇を持ち上げるように言われたら、どうやってできるでしょうか？　持ち上げられません。私がこのことについて格闘をし、悩み、ご飯も食べずに泣くとします。数年たてば持ち上げられるでしょうか？　死ぬまでこれを一人で持ち上げることはできません。しかし、一つの方法があります。「前から四人出てきて、一人がここを、また次の人はそこ、各々が立ち、私が一、二、三と言ったら持ち上げてください。そして、その講壇を持って外に出てください。」助けを求めれば、助けが来ます。私が汗をかく必要はありません。自分の限界を超えるものについては、私が悩む問題ではありません。それなのに、それを知らずに絶えず一人で格闘をし、悩みます。重いものを持つことのできる神様が私たちとともにいてくださいます。それなのになぜ、自分が持ち上げられるわけでもないものを持とうとするのですか？　詩篇37篇5節には「あなたの道を主にゆだねよ。主に信頼せよ。主が成し遂げてくださる」と語られています。

それならばどうやって、できることとできないことを見分けることができますか？　一つ目に問題のために寝ることができなければそれは六十キログラム以上です。二つ目に食欲を失いご飯を食べることができず、消化ができないのなら六十五キログラム以上です。三つ目は、血圧が上がれば、便秘になり始めれば、六十五キログラム以上です。それで、使徒ペテロも「あなたがたの思い煩いを、いっさい神にゆだねなさい。神があなたがたのことを心配してくださるからです」（Ⅰペテロ5・7）と言いました。「主よ、これは七十キログラムの重さなので主に任せます。」そのように任せれば、主が持ち上げてくださいます。それが奇跡というものです、私たちができないことを行うのが奇跡です。そういうわけで、私たち信じる者はできても勝利し、できないことでも勝利するのです。どういうときにできないのでしょうか？　一度あります。それは、できないというのでできないのです。できないと言って、やらないのならできないのです。自分ができないという前にはできるのです。六十キログラムは私が持ち上げて、百キログラムは神様が持ち上げて、二十キログラムは私が持ち上げる。いずれにしても、私たちには勝利があるのです。

ゴリアテがいくら大きくても、神様より大きくはありません。生きておられる神様に対する信仰によって、信じている者は世界を征服することができます。私の神様は生きて働かれ、私とともにいてくださり、私に力を与えてくださる方なので、一人の人によって宗教改革が起こり、一人の人によってイギリスが変えられて、一人の人によってアメリカの大覚醒運動が起こったのです。それなのに、皆さんと同じような人々を用いてできないことがありましょうか？　神様が皆さんを祝福し、いつでも、すべてのことが可能な人々になるように願います。

●清い生活

私が日曜学校に通っているときに、聖書に登場する偉大な人々についての良い物語をたくさん聞いて、私もあの人たちのように立派になれるだろうかと考えたことがあります。しかし大きくなってみると、その立派な人々にも欠点があることを発見するようになりました。そこから多くの慰めを受けました。ダビデは実に立派な人です。私の個人的な望みも、皆さんに対する私の望みも、私たちがみなダビデのような立派なリーダーになるようにということです。

慰めというのは、ダビデがあれほど偉大な人であるにもかかわらず、人間であるということです。地を耕しながら生きて、ごみの中で生きる、私と同じような一人の人間であるというのです。バプテスマのヨハネが現れたときに、「神の人（John, a man from God）」と表現しています。これはどれほど嬉しいことばでしょう！　ヨハネが人間であったということです。血と肉があり、限界と制限性があり、また罪性の葛藤の中で疑うこともするような人間であったのです。

それなのにありがたいことは、ただ「John, a man」で終わっていたら大事になりかねないのに、「from God」とあります。人間であることは変わりませんが、神様が送ってくださった人、同じ人間ですが、皆さんと私が神様の召命を受けて、自分の足を地につけて歩く存在でありながらも、ただ神様に選ばれ送られた者であるという、その結合（combination）がバプテスマのヨハネです。人間ではありますが、神様に送られて、神様から来たのに人間であること、その二つの結合が絶妙なのです。ダビデもそのような人です。ダビデも人間であり、大きな間違いを犯したことがあったではありませんか？

私たちの霊的な権威はどこから来るでしょうか？ 霊的な影響力と力あるリーダーシップはどこから出てきますか？ 清い生活（clean life）、つまり純潔な生き方から霊的な力が表れるのです。どんなに説教がうまくとも、知識が多くとも、人々との付き合いが良好でも、清い生き方がないならば、人気があっても霊的な影響はありません。その人は「賢い。その牧師はとても優れている。説教がうまい。本をたくさん読んでいる。多くの勉強をしてきた」という話を聞くことはできますが、人々の魂が動かされ、人生に変化をもたらすのは、清い生き方を通した霊的な権威から出て来るものです。

ダビデは大きな罪に陥る以前、数年間、荒野で逃避生活を送りました。その時代、彼はいつも霊的な指導者と親交を持っていました。サウルが彼を殺そうとすると、彼の妻が逃避させました。窓から降りていくと、すぐに誰を訪ねて行ったか知っていますか？ 預言者サムエルのもとに行きました。ダビデがなぜ神の御心にかなった人だったのか？　彼が何よりも、まず神様を考える人だったからです。逃避をしても神様の預言者のもとに行きます。二つ目に、身を隠したところはどこでしょうか？　アヒメレクのところです。まず預言者のもとに行き、次は大祭司のもとに行きました。そこでゴリアテの剣をもらい、聖別されたパンの食事をして、また旅出っていきました。このことのために、ダビデを匿ったとして、アヒメレクと祭司長の八十五人が亡くなりました。その次に荒野で避難生活をしているところに、殺害された祭司長のうち唯一生き残って逃げてきた人がエブヤタルです。この人はダビデのもとに避難してきたので、ダビデはその祭司長を保護しました。結局サウルが亡くなって、ダビデがイスラエルの王になったときには、ダビデと共にいたエブヤタルが大祭司になりました。ダビデはいつも霊的な指導者たちと密接な関係を持って生きていたのです。霊的な指導者たちと密に交わりながら自身の神聖な生活を送ることで、霊的な挑戦や良い影響を受けたのです。良い霊的な指導者たちと密に交わることで、敬虔な信仰生活を維持することができます。

• 隣人を立たせる

人生がすべて崩れて見捨てられた人々だといっても、リーダーの手につかまれば一級の軍隊にもなりえます。社会で失敗した人々も良いリーダーの影響圏に入れば、神様がその人を通して、新しい働きをなさいます。荒野の生活中、ダビデのもとに四百人もの人々が押しかけてきましたが、彼らはどのような人々だったでしょうか? 脱税者、逃避者、強盗しているところを捕らえられた人、不平ばかり言う人、犯罪者たちでした。この世界の底辺にいる人々が同じように逃避生活をしているダビデを探して来たのです。その四百人がダビデの手につかまったので、一級の軍隊になりました。ゲリラ部隊を作り、十八から二十か所を襲撃して食料を調達し、荒野生活を維持します。難しい生活の中でも、四百人の捨てられた人々を訓練し、最高の軍隊に養成し、ダビデがイスラエルの王になったとき、荒野生活を通して訓練された彼らが、イスラエル軍の指導者になりました。その中にヨアブ将軍も含まれていました。

偉大な指導者は、自分の偉大さを誇示する人ではありません。周囲の人々を立たせることができる人、可能性の花を咲かせ現実化させることのできる人です。その結果、良い指導者はその周囲を偉大な人々で取り囲むことになるのです。世の中の指導者たちは、自分を立てるために他者を好き勝手に支配し、自分の尻拭いをさせます。このようなものは世の中の人々、支配者たちの行う支配です（マタイ20・25）。それで、ダビデは軽んじられていた人々を集めて、新しく生まれた一級の軍隊を作り、全世界を――その当時のバビロニア、ユーフラテス川からエジプトのナイル川におよぶ大きな地を――すべて征服しました。その結果、イスラエルの歴史上、最も広い領土を持つ大国家となったのです。イスラエルの領土がその時代よりも広かったことがいつありましたか？　息子であるソロモンは、父親が残した遺産をそのまま存続させることができず、結局、費用のために二十都市を諦めて渡さなければなりませんでした。

•円満な人間関係

サウル王の最期、サウル軍はペリシテ人の連合軍との間で最後の戦争のために対峙していました。そのときダビデも自分の軍隊を引き連れて、サウルの敵とともにサウルの反対側で、彼らの連合軍に参加せずにはいられませんでした。アギス王はダビデの参戦を認めますが、他の王はイスラエルの人であるダビデを参戦させることに反対しました。なぜなら、もしもイスラエルと戦うときに、ダビデの軍隊が後ろにいてサウルの軍隊は前面にいれば、自分たちが真ん中にいて挟み撃ちにされたらどうなるかと考えたからです。アギス王は、サウルはダビデの敵であるから大丈夫だと言いましたが、結局ダビデは連合軍とともにサウルのイスラエルの大軍と戦争することができず、自分の都市に戻ることとなりました。ダビデはそのとき、ツィケラグという都市を一つ貰ってそこでみんなと一緒に住んでいましたが、戦争に参加できずに戻って来ると、その都市は火によって焼けており、家族はみな捕らえられていました。ダビデは自分の軍隊を率いて追いかけていき、アマレク人を破り家族をみな救って無事に帰っていきました。もし、ダビデがサウルを対象に連合軍とともに参戦していたなら、家に戻ることができなかったでしょうし、サウル王の軍隊であるイスラエルの自分の民と戦わなければならなかったので、サウルが亡くなった後も自分の民に大きな罪悪感を抱いたことでしょう。また、彼が王になったときに敵対視する民も多かったことでしょう。神様の御心にかなった人には、すべてのことが禍を転じて福と為すようにさせてくださいます（ローマ8・28）。すべてを変えられ、祝福としてくださいます。問題は私たちが神様を愛する人か否かということです。

対人関係において、ダビデを超える人はいません。常に良い関係を維持する人です。人と人との間に橋をよく架けて、人々を好きになり、敵を作らず、彼らの面倒をみて、ましてや自分の敵も愛で包み込む人です。

自分の家族たちを救うためのアマレク人との戦争で戦利品を多く獲得しましたが、その戦利品を十二の袋に分け、十二部族に送りました。「愛するイスラエルの兄弟姉妹。お元気でしたか？久しぶりに連絡を送ります。私がアマレク人との戦争で多くの戦利品を獲たのですが、分け合いたいと思い送ります。ダビデより。」サウルに嫌われて、逃避生活を長い間送ったダビデから来た最初の知らせです。彼らは期待もしなかったのに、ダビデから率先して手を差し出して握手を求め、贈り物を送ったのでした。このようにして十二部族はダビデの近況を知り、心を開いたのです。良い人間関係のために事前に考え、良いことがあったら共有するような人でした。人々と円満で良い関係を築いたために、ダビデが王になったとき、みんなが彼を歓迎し、彼を支持して従ったのです。

•犠牲的な愛

ダビデは六回も自分を殺そうとした宿敵さえも、神様が油注がれた人だからと絶対に手を出さないようにしました。絶好のチャンスが来て、十分にサウル王を殺せるときでも、殺さずに生かしておきました。神様はこのような人を祝福なさいます。そのときには負けたようであっても、負けたのではありません。自分の宿敵も祝福する者を、神様は祝福してくださいます（創世記12・3）。サウルを殺したアマレク人が、自分が殺したと言うと、「私でさえもあの方に手をかけなかったのに、なぜあなたのような者がその方に手をかけたのか」と言い、昇級はおろか追放しました。そして、亡くなったサウルのために涙を流します。「サウルとヨナタンはその人生において、美しい人であった（Saul and Jonathan are lovely in their lives.）。」どうやって、そのような言葉が言えるのでしょうか？　自分をやっつけようと絶えず襲撃してきたサウルが死んだのに、サウルの人生は美しかったと言えるでしょうか？　しかし、ダビデはそう言ったのです。

ここに神様の祝福があります。神様を心から愛して、人は自分の宿敵であっても死んだときに号泣するダビデの姿。心が広い人です。人間を愛しても、選んで愛するのではありません。どのようにしたでしょうか？　人であればいつでも愛そうと決心したのです。「誰でも無条件に私の目に前に来る人は愛そう。」人を選びながら愛するのでは疲れてしまいます。人に会うとき、「この人を愛そうか、それとも愛さないでいようか。この人は間違っている。あの人は愛そう」というようでは、そのときに拒絶された人は悲しいことでしょう。

教会生活において大変なことの一つは、信徒たちに公平であることです。ですから、牧師の家に誰かを招待することも難しいです。ある教会員を夕食に招くことがあったら、他の教会員が「先生は私のことは愛していないのだろう」と誤解します。牧師に偏屈なこと、一方的なことの兆しが見えれば、信徒たちは悲しくなります。そうなると紛争が生まれます。そういうわけで、信徒たちを愛するにも、気を付けなければなりません。私たちは人間関係の専門家にならなければなりません。「私の前に現れる人はみな好きになろう」という心持ちであるなら楽です。選ぶ必要がないので楽、選択されなかった人がいないので楽です。この人も好きで、あの人も好きで、どれほど好きな人が多いことか、人生が楽しいです。神様は私たちのことを当然すべて知っておられますが、私たちのすべてを愛してくださいます。人を好きであると幸せです。どこに行っても人がいるので。しかし人が好きでないなら、人生が苦痛です。どこに行っても人がいるので、見たくない人を避ける術がありません。

良いリーダーは、すでに無条件に人を愛そうと、宿敵であろうと友人であろうと誰であっても、私の人生に入ってきた人であるなら包み込もうと決心しなければなりません。そうすれば、人生が少し簡単になります。私が愛するなら、悪人も善人もありません。愛の前で対抗できる人はいません。牧師は悪い人に出会っても好きになります。なぜでしょうか？　悪い人に出会うとき、その人をイエス・キリストに出会わせ、その人が良い人に造り変えられることを助けることができるからです。牧師が言うことを聞かない人に会うことを嫌うなら、神学校に来たことは一生私たちを不幸にすることとです。

なぜ人々は問題を起こし、言うことを聞かないのでしょうか？　自分自身に問題があるので、苦しくてそうするのです。自分の心が痛むからです。風邪になって咳をしているのです。そのような人たちを助けられる機会が与えられたのです。牧師は霊的な医者です。病を患っている人々を健康にして、またその人の病を治す機会が与えられたのです。それで、困難を抱えている人、疲れている人が多く来るほど、牧会者は挑戦と働きが多くなります。それが嫌ならば、早いうちに警察官になるか、裁判官になるか、他の仕事を選択するほうがよいでしょう。神学校に来る人は、私たちを苦しめる人であっても、彼らのために祈り、彼らを愛し、愛で溶かす人にならなければなりません。これがダビデの姿です。

自分を殺そうとしたサウルに向かって「Saul is lovely」と言っていますが、その状況で「lovely」とは、理解できますか? ugly（不快）なものをlovely（美しい）と思うので、lovely（素敵）であるのです。自分を殺そうとした人が素敵なわけはありませんが、素敵だと思うので素敵なのです。なぜ人々は素敵なのでしょう? そのように見るからです。人間は常に堕落した状態にいます。聖書を見ると、人は頭の先から足の先まで善良なところがないと診断されます。頭から始まり、目、耳、口、舌、喉の奥までも腐敗し、心は万物よりも悪く、情緒も理解も鈍くなり、手は賄賂を渡すために用いて、足は血を流すところにすぐに到達する。すべて罪に染まり、腐敗した存在が人間です。ですから、選びながら愛するなら希望がありません。

「あの人がそうするとは思わなかった。」腐った中から腐ったものが出たのに、あの人がそうするとは思わなかったと言います。知らなかったというなら、聖書と神学を学んでいなかったからです。「あんなに多くの教育を受けた方が……。」教育と腐敗した心とに何の関係があるのでしょう？　何の関係もありません。医師であり博士である医大の教授が自動車で自分の妻を轢き殺そうとした事件があります。地域の人々は、どうしてあそこまで教育を受けた人があんなことができるのだろうかと言いました。人間は条件が整えば誰でもそこまでできる存在です。罪性に染まり、善良なところがない人間だからです。選んで愛することはできません。無条件に愛するほか道はありません。絶対に簡単なことではありません、人を牧会の対象とする牧会者がいつも疲れてしまう部分です。それで、その事実を正確に知って、神学生のときから前もって学び、訓練し、小さな成功を経験していくことを始める必要があります。

ダビデはサウルとヨナタンを美しかったと言って、涙を流しました。ヨナタンを美しいというのは理解できます。だがどうして、自分を殺そうと七年間も探し回った彼の父親のことさえ、ヨナタンのことと同じように悲しむのでしょうか？　実際、サウルによってダビデはゴリアテを殺す機会を得ましたし、彼の娘と結婚し、ヨナタンと友情を育むことができ、困難なときも助けを得ました。サウルのおかげで「サウルは千を打ち、ダビデは万を打った」という人気を享受することもできましたし、サウルが殺そうとしたので逃げ、四百人の軍隊を得て、その軍隊の将軍となり、訓練された素晴らしい指導者として認められ、十二部族に贈り物を送り、認められる人となったのです。サウルがダビデを殺そうとしたにもかかわらず、ダビデが自分の宿敵であるサウルが亡くなったときに涙を流したことは、噂にならないことがあるでしょうか？　「なぜ、王が号泣するのか？」「サウルとヨナタンが死んだときに泣いたそうだ。」これまでサウルに仕えた部下たちも聞かないはずがないでしょう？　もちろん噂を聞きました。「ダビデは自分を殺そうとしたサウルが亡くなったのにもかかわらず、サウルの死を悲しみ号泣する人なのだ」と言って、サウルの軍隊は感動しました。それならば、サウルが亡くなったのでサウルの軍隊は誰について行くでしょうか？　その感動のゆえにダビデについて行きました。ダビデは心から悲しんだことでしょう。純粋に客観的な立場で見て、ダビデは偉大なリーダーです。

ダビデは三十歳のときにやっとイスラエルの王になりました。すると、サウル王の息子であるイシュ・ボシェテが逃げていきました。逃げていってヨルダン川の東側と北側を占領しました。イシュ・ボシェテが北方の王として居座りました。ダビデの司令官はヨアブで、イシュ・ボシェテの総司令官はアブレルです。両方が戦って、アブレルが負けました。それでアブレルが逃げていくのをヨアブの弟であるアサヘルが追いかけていきました。追いかけていってアブレルに襲い掛かると、アブレルは――彼は熟練した将軍でアサヘルは経験がない人なのですが、逃げているので自分が勝てると思って追いかけていきました――アサヘルに「追いかけてくるな。そうしたら私はあなたを殺さなければならないから、戻りなさい」と懇々と警告しました。それでもまだついて来るので、アブレル将軍はアサヘルを一撃で殺しました。後に兄であるヨアブがこの知らせを聞いて、アブレルに会って井戸の際に連れて行き、挨拶をするふりをしながら、彼を殺してしまいました。敵軍の総司令官が死にました。それなのに、誰が悲しむでしょうか？　ダビデです。自分と戦っていた敵の司令官が死んだのに、また悲しむのです。その知らせはどこに行くでしょうか？　アブレルの部下に届きます。「ダビデ、この方こそ憎悪を知らない愛の人であるな。どうして自分の敵の将が死んだのに、あれほどまで悲しむことができようか？」

数日しないうちにサウルの息子イシュ・ボシェテの二人の部下が自分の王であるイシュ・ボシェテを殺しました。そして、ダビデのところにやって来て「ダビデ大王様、私たちがあなたの敵を処理しました。イシュ・ボシェテ一人がいなければ、あなたは全イスラエルの王になれるので、私たちが彼を処理しました」と言うと、また泣く人が生まれました。誰でしょうか？　またダビデです。敵と戦って勝つ人ではなく、宿敵を友としてなお本当に勝つのです。それでイシュ・ボシェテが死んだので、ダビデが悲しんだということです。誰がその噂を聞いたことでしょう？　イシュ・ボシェテを支持してきた国民が聞きました、自分の敵が死ぬ度に悲しみ、涙を流す人がダビデでした。純粋に政治的な目的のために戦いをしても、後にはアブネルとイシュ・ボシェテの支持者たちはみなダビデのリーダーシップを見て、彼を尊敬しました。「あなたこそ偉大な将軍です！」もうすべての軍と民の心を統一させました。

牧会をしていれば、度々サウルのような人に出会います。牧師を剣で殺そうとするのではなく、舌で殺そうとします。長くても二インチに満たない舌は、二つの歯の間に隠れてよく見えませんが、そこから出る言葉は剣よりも恐ろしい剣となって出てくるのです。愛を説教する牧会者はつらいのです。私も牧師なので、牧師が受ける苦痛を知っています。私たちが善良で、正しく、純粋であるならば、すべての人が私たちを愛するでしょうか？ もしそうなら、イエス様が最も愛されたことでしょう？ 「私には間違いがない。だから、みんなが私を好きになり、支持するだろう」と考えるなら、否定できない現実を誤解しているのです。そのような保証はありません。イエス・キリストもあれほどまでに嫌われ、最後には死にました。群衆は「十字架につけろ、十字架につけろ」と叫び、結局イエス・キリストを十字架にかけました。私たちに敵が現れることで驚かないでください。宿敵はいつでも生じることができます。あるときには、最も信頼し愛した人が完全な敵になることもあります。私たちを好きになる人がいて、私たちを嫌いになる人もいます。彼らはともに牧会現場にいます。彼らに従って、あの人を好きになるか嫌いになるかを選択するのでは、むしろ疲れてしまいます。

またダビデは、自分の宿敵であるサウルの孫であり身体障碍者であったメフィボシェテを宮殿に連れてきて、生涯面倒をみました。また自分の息子アブシャロム――父親を殺そうとした――をヨアブ将軍が戦って殺したのですが、そのときも「私が私の子どものうちで最も大事な子どもを殺した……我が息子アブシャロムよ」と言ってまた泣きました。自分を裏切った親不孝の子ですが、父親にはかわいい息子なのです。結局、私たちにかかっています。私たちの選択であり、私たちの解釈です。あの人がかわいいか嫌いかは私たちにかかっているのです。ただひたすらに愛そうと決心するのです。私たちに向けられた神様の方法です。牧会者には選択がありません。それなので、牧会者の人生は簡単なことはありえません。

私たちの牧会生活と日常生活に必ず良い結果がもたらされることでしょう。なぜそうでしょうか？　牧会は人が対象だからです。牧会者はダビデのような愛のリーダーシップで前に立つとき、大きな恵みがあります。

アメリカのある機関が発表した最近の統計によると、アメリカの教会は教派・教会別に調査したとき、成長する教会の特徴が一つ明らかになりました。愛のある教会は成長し、愛のない教会は成長しないという結論です。愛のリーダーシップと模範は誰が見せるのでしょうか？　牧会者です。教会は牧会者に似ていきます。牧会者が熱くなれば教会も熱くなり、牧会者が愛せば教会員も愛するようになり、牧会者が伝道すれば伝道するようになります。私たちが教会員に食べさせるとき、私たちの中から満たされたものが溢れ、それで食べさせるからです。イエス・キリスも語られました、「心に満ちていることを口が話すのです」と。良いものでたっぷり満たしたとき良いものが出てくるし、悪いものでたっぷり満たされているならそれが出てくるのが現実です。平安があれば平安が溢れ出るし、喜びがあれば喜びが、感謝があれば感謝が出てくるのは、当然のことです。愛も同様です。愛があるから愛が出てくるのです。愛のある教会に人々が集まってくるという結論は、私たちに刺激を与えます。

●謙遜な姿勢

教会の様々な現状を研究調査しているうちに、結論を得ました。以前は、教会の問題を研究しているとき、このようなプログラムは良い、あれは避けよう、このように経営するように、という傾向がありました。このようなことを考慮しなければなりませんでしたが、――爆発する伝道(Evangelism Explosion)やクロスウェイ聖書研究(Crossway Bible Study)やBus Ministry、キャンパス・クルセード(CCC)のTen Steps(訳注＝日本では「豊かな人生シリーズ」)、ナビゲーター(Navigator)――究極的な問題(Issue)はこのようなプログラムではありません。問題(Issue)は牧会者である私自身です。私と私のリーダーシップです。私に必要なリーダーシップは、まずバランスよく手本を見せながら、リーダーたちを絶えず養成し、訓練し、彼らに働きへの動機をもたらし、激励しながら、与えられた霊的な召しに従って働くようにするのです。長々と話す必要もありません。

ダビデはついに、サウルの息子のせいでしばし分断されていたイスラエルの統一を実現した王となりました。すべてを征服しました。エルサレムが首都となり、平安が訪れ、ダビデはついに最も偉大な王となりました。神様はダビデを祝福なさいました。しかし、成功の極致に達すると、ダビデは罪を犯し、堕落していきました。ここでの教訓は何でしょうか？　祝福の時間にひざまずこうということです。神様が私を祝福してくださり、私に健康をくださり、私の牧会に恵みを与えてくださり、私の人生に神様の恩寵が溢れれば溢れるほど、私を上げてくださるなら上げてくださるほど、へりくだって、ますますひざまずき、このように切に望まなければなりません。「主によるのでなければ、今がありえません。主に感謝します。主よ、栄光を受けてください。すべてが神様の恵みです。傲慢にならないように助けてください。私は弱い人間ですから、ややもすれば目も見えないので、主の王国を私の王国だと錯覚して傲慢にならないように、父よ、憐れんで私を見てください。私を謙遜にさせ、私の目に主だけが映るようにしてください。」祝福が大きくなれば大きくなるほど、よりひざまずかなければなりません。

モーセの話を思い出せますか？　モーセは四十年間、荒野で多くの苦労をしました。不平不満を言う二百万人にも及ぶ人々を率いて、どれほど苦労したことでしょうか！　ある日は水をくれというので、神様がモーセに話しました。「岩を杖で打て。そうすればそこから水が流れるであろう。」そのとき、モーセとアロンが国民の前に立って話す言葉を聞いてみてください。英語の表現が明確です。「How long do we have to fetch you water?（この岩から、われわれがあなたがたのために水を出さなければならないのか）」（民数記20・10）。この言葉を分析してみると、まるで自分たちが食べ物を与え、水を与えるかのように話しています。そして、怒りながら杖で岩をたたきました。水が溢れ出ました。民たちは、モーセが叫び、杖で岩を打って水が出たから、モーセがやったことだと思うでしょうか？　モーセが神様の栄光を横取りしたのです。そのとき神様がご覧になって、モーセの言葉を聞くと、開いた口が塞がらずに言いました。「私が食べさせ、私が水を与えたのに、あなたは自分が与えるかのように話すのだな。あなたは私を敬わず、私を信じなかった。私がこれまであなたたちを食べさせ、着させ、力を与え、民の指導者として仕える機会を与えたのに、あなたはまるで自分がすべてをやったかのように話すのだな？なんということか？　モーセよ、もうあなたの任務は終わった。ヨシュアよ、ここに来い！　モーセ、あなたはカナンの地に入ることができない。あなたは私のことばを尊重しなかった。あなたが怒っているのを見れば、年を重ねており情緒も不安定なので、もうそこまでにしよう。」「神様、私は四十年間も苦労したのに！　カナンの地に入れないなんて、それはだめです。」「しかし、あなたはカナンの地に入って、これから起こる数々の戦争に耐えることができない。感情に安定感がなく、怒ってばかりで神を重んじないので、ここまでで終わりにしよう。山頂に登ってカナンの地を眺めておれ。」

神が私たちを用いるときに感謝し、機会を与えるときにひざまずき、ただ神様が今もなお健康を与えてくださることに感謝し、知恵を下さり小さな教会であっても仕えさせてくださるときに、「主よ、機会を下さり感謝します」と心から仕えることができなければ、神様は必ずしも私たちを用いなくても、いくらでもヨシュアのような候補者たちが控えています。神様は私がいなくても働かれます。しかし、いま神様が皆さんを選んでくださいました。それで、仕えるということ、神様が私たちを呼び仕える者として立てられたことは、重荷ではなく特権です。「なんとまあ神様が私を選び、主の仕事を任せてくださったことか！」救ってくださったことだけでも永遠に感謝すべきことなのに、神様の弟子の中からさらに特別に選び、私たちを仕える者として呼んでくださいました。ただ感謝するだけです。主にすべての栄光をささげ、感謝しながら、寝ても覚めても主に仕えていくだけです。

•悔い改めの生活

　宗教改革における九十五箇条の条項のうち、一つ目が悔い改めです。罪性を持った私たちは生涯、神様の前で悔い改めながら生きていく必要があるということです。ダビデは成功の梯子の頂上で落ちていきました。部下の妻と姦淫し、殺人を犯し、嘘をつき、また敵に神様を讒訴させる機会を与え、その結果、イスラエルの王であるダビデは神様をまさに辱めにあわせました。どうしてこのようなことができるでしょうか？　どれほど信仰が偉大な王であっても、罪性を持った弱い人間なので、堕落する可能性があります。ですから、罪を犯したら遅滞なく悔い改めなければなりません。言い訳をして、隠して、ひたすら逃げているところを捕まった後になって、悔い改めるダビデは、多くの悪い例のうちの一つです。士師記のイスラエルの民も悔い改めず、死ぬほど苦労してから悔い改めて、神様に助けてほしいと叫びました。罪の結果として苦難が始まれば、すぐに気づき悔い改めて叫ぶのに、なぜあれほど二十年間も死ぬほど苦労してからでなければ、神様に悔い改めて叫ぶことをしないのでしょう？　苦難の中で時間を浪費してはなりません。罪が見つかればすぐに罪を告白し、悔い改めるべきです。

　生まれ変わることがない人は、罪を犯さないはずがありません、イエス・キリストを信じて新しい人になれば、罪を犯さない能力が生まれます。しかし、完全に堕落した人間はその中にある罪性のために、罪を犯すことがたまにあります。不誠実でなければよいでしょう。私たちは罪性を持った人間です。使徒ヨハネはこのように語っています。「もし自分には罪がないと言うなら、私たちは自分自身を欺いており、私たちのうちに真理はありません。……もし罪がないというなら、私たちは神を偽り者とすることになり、私たちのうちに神のことばはありません」（Ｉヨハネ1・8、10）。

「罪がない」というのは「罪性がない」という意味です。罪性があるので罪を犯します。これが神様の観点です。神様は人間に罪性があるのを知っておられるので「罪がある」と言うのです。やはり人間は「罪を犯す」ということを、あまりにもよくご存じです。そして、罪を告白すればすぐにお赦しになり、私たちの罪性を絶えずきれいにしてくださると約束なさいました（Ｉヨハネ1・9）。ですから、多く悔い改めるほど罪性が洗われてきれいになります。頻繁に悔い改めるほど、頻繁に罪性が洗われてきれいになります。きれいになるほど罪を犯す可能性が小さくなることでしょう。悔い改めは、まるで手を洗う石鹸のようです。よく洗うほどよりきれいになるのは当然のことです。罪性がきれいになれば、以前は十回犯したものが、五回になり、四回になり……しかし、地上では完全になることはありません、私たちが主のもとに行くか、あるいは主が来られたときに、栄光の姿、罪性が完全に消し去られた状態に変化します。そのときまでは、罪を犯す頻度や度数が低くなり、罪性が弱くなることはあります。しかし、完全になることはありません。心であれ、感覚であれ、言葉や行動に間違いや失敗があります。それを望みはしませんが、知らず知らずのうちに起こります。しかし、起こったときには遅れることなく、すぐに悔い改めるべきです。そうすれば赦され、聖潔になることができます。

ある朝に、ある方のために心がとてもつらくなりました。一日中頭痛がして、食べた物も消化できません。その日の夜の宣教集会で説教をしなければならないのに、あまりにも頭痛がして、三十分の説教予定が十五分ほどだけ説教をして、すぐに降りて家に向かっていました。そのようにつらい苦痛を受けたことはあまりありませんでした。薬を飲んでも効果がありませんでした。じっくり考えてみると、私の中に傷んだ心があり、その人に対する怒りがありました。罪が私の中に起こったので、昼に食べたものが消化されていなかったのです。家に戻る途中に運転をしながら「主よ、私を赦してください。その方が私に気分を害することを言いましたが、それは少し私を無視する言葉でした。それで私の心が痛み、怒りをおぼえました。私が傲慢でした。私の傲慢さを取り除いたと思っていましたが、また溢れてきました。私を無視するなんて……神様、もう一度湧き上がってきたこの傲慢の罪をお赦しください。赦してくださり感謝します。」このように罪を告白して赦しを求め、赦しを受けました。そして、運転をしながら家に向かいましたが、頭が割れるような頭痛はすぐに嘘のように消えていきました。心の中にある罪の毒を取り払ったので、生き返ったようです。私はそのとき、罪の告白と赦しの能力を強く感じました。

私たちが悔い改めれば悔い改めるほど、きれいになっていきます。しかし、あるときには神様に申し訳なくて、悔い改めることができません。体面のために、十回目なので神様に面目なくて、言うことができません。それでも告白してください。神様はまた赦してくださいます。絶えず繰り返して悔い改めることで、私たちはきれいになり、尊くなるからです。そのようにして、罪の毒を引き抜いて、インクを引き抜くことで、私たちの罪性は良くなることでしょう。

しかし、良くなるには良くなりますが、その誤字を打ったところはいつまでも残ります。一度牧会者が失敗をすれば、教会員は記憶しています。人間は神様とは異なり、あまり赦してくれません。ある牧師が十五年間熱心に牧会をし、教会に仕えましたが、一度失敗したからということで出て行けというのです。「信徒会や役員会においてこれまで十五年間堪えてきた。心が痛むが、今日こそは堪えることができない」と言って、目をぎらつかせ、上着を脱いで、問題を起こした役員の胸ぐらをつかみました。それで、その牧師の牧会が終わりました。霊的なリーダーは、一度の失敗で現状復帰が難しくなります。女性問題や金銭問題、忍耐の不足を見ると、そのときから教会員は牧師を尊敬しなくなります。

ダビデはどうなりましたか？　罪のためにその日から罪の対価を払うようになりましたが、残りの人生の間に十三の災難が死ぬまで訪れました。罪の対価は死です。一度罪を犯せば、悔い改めて赦しを受けても、罪の対価を払うのです。罪は犯す価値がありません。

罪を恐れなければなりません。罪から逃れるべきです。罪は遠のけなければなりません。「悪は形でも捨てよ。」牧会者の霊的な力はどこから来るでしょうか？　清い生き方から来ます。

サムエルは「私は幼いときから今まで、あなたがたの前で生きてきたではないか？　私がいつあなたがたの前で悪を行ったことがあるのか」と自信を持って、民の前で言います。「あなたはそのようなことがありません。」「それならば私の言葉を聞いて私についてきなさい。あなたがたは偶像を捨て、主に立ち返れ。」

このように聖別された指導者は、霊的な権威があります。まさに神聖な生活によるのです。徹底的に悔い改めて、徹底的に従うことで、清い神様のしもべになることを願います。

おわりに――一人の牧師がつくられる道

私は平壌（ピョンヤン）で生まれました。父方・母方ともに三代目のクリスチャンです。母と九人の子どもたちは、朱基徹（チュキチョル）牧師が担当していた平壌山亭峴（サンジョンヒョン）教会に出席していましたが、父が私たちと一緒に教会に出席したのを見たことはありません。私は幼いころから、平壌山亭峴教会に出席していたことから、殉教者的な信仰を常に見てきました。今も記憶していますが、二階に上がれば大人たちが集まり、礼拝をささげ熱心に賛美をしていたのを思い出します。「試練と迫害の中でも聖徒の信仰をたどり、死ぬまで賛美をささげよう。」「神はわがやぐら、わが強き盾……。」幼いながらに、大人たちの姿を鮮明に覚えています。大人たちの顔や、声高らかに賛美を繰り返しささげ涙を流す姿を見て育ちました。私たちの先祖はこのように信じていたと考えるたびに、強烈な信仰の熱気が今も私の胸に強く迫ってきます。主の教会が発展していくのは、彼らのような先祖の血と信仰を受けたからだと考えます。

私は解放前の日本占領期に日本語を学びながら小学校の一年間を通いました。当時は朝、学校に行くと校門の前に立ち、日本の神社に礼をしてから学校に入らなければなりませんでした。しかし私たちの学校では、神社に礼をする大人も子どもも誰もいませんでした。後に殉教した朱基徹牧師の影響でした。母も当然、神社に礼をしませんでした。私と姉は同じ学校に通っていたのですが、私たち二人とも神社に礼をしませんでした。朝礼時間にも東方遥拝といって、日本の天皇を神として一礼三拍手をし日本に向かって全校生徒が礼をするときに、私と姉は腰を曲げて礼をせずにただ真っ直ぐに立っていました。ばれたら大変なことになると分かっていました。山亭峴教会に通っていた私たち姉弟は、互いに話し合っていたわけでもないのに、姉はあちらの端っこに、私はこちらの端っこに立っていました。解放前の一年間のみでしたので、ばれることはありませんでした。皆が腰を曲げていたので、姉と私が立っているのを見られることはありませんでした。

一九四五年に日本が韓国から撤退し、共産主義が北朝鮮に入って来て、一九四八年から北朝鮮の迫害が始まったのと同時に、山亭峴教会の教会員は、今度は日本ではなく北朝鮮共産党から逃げ、隠れるようになりました。母も北朝鮮の警察を避けて逃避していたのを覚えています。

今振り返ると、幼いころにあのような環境、日本植民地時代と共産主義国家において信仰を守るために困難を受ける姿を見て育つことができました。神様が特別に愛してくださった恩恵だと思い、感謝なことだと考えています。

小学校三年生になったとき、土曜日の学校で「イエスを信じている子どもは手を挙げて」と先生が言いました。私たちのクラスでは六十人中十二人が手を挙げました。先生が名前を書いたと思ったら、そのときから迫害が始まりました。土曜日の最後の授業が終わると、日曜日の朝に学校に来るように、来られない子は手を挙げるようにと言われました。「あなたはどうして来られないの？」「日曜日は教会に行きます」「それは全部ためにならない。明日学校に来い。」しかし教会に通う子どもたちは、日曜日にみな教会に行きました。月曜日になると、日曜日に欠席した子どもたちを集めて、教会に行った子どもたちは前に出てくるように言います。そして、どうして来なかったのかと聞き、教会に行った子どもたちの頬をたたき罵倒しました。

次の土曜日には、明日は松ぼっくりを拾いに行くから日曜日に学校に来るようにと言われました。そして、来られない子は手を挙げるように言われました。誰が手を挙げるでしょうか？　頬をたたかれているのに！　皆が目配せをしていました。そのとき、隅で一人が手を挙げました。「あなたはどうして来られないの？」「教会に行かなきゃです……」「だめだ！　学校に来い。」日曜日が来ました。教会に行きました。月曜日にまた呼び出されました。そのときから学校を卒業するまでの三年間、このように苦労しました。木の棒で足をたたき、竹の定規で手のひらをたたき、廊下で手を上にあげて罰を受けました。土曜日の午後、私たちのクラスでは自己批判の時間がありました。そのとき、クラスメイトたちはクリスチャンの子たちを前に立たせて、強く批判したりしました。職員室に連れて行き、強迫し、悪口を言いました。またあるときは、やさしい女教師を通して諭されました。

あるときは、鉄パイプで太ももを際限なくたたかれました。痛くて歩けず、なんとか家にたどり着いたときには、もうすでに日が暮れていました。母は道に出て息子の帰りを待っていました。よたよたしながら帰って来る息子を迎えながら、母は「何で遅れたの?」「また殴られました。」「あなたは何と言ったの?」「教会に行かなくちゃいけないと言ったよ。」「それで良い。私の息子よ、入りな」と言って私を連れて台所に行き、大きな赤いリンゴを手にくれました。

私が罰を受けながらも耐えることができたのは、私が信仰が何かを知っていたからではありません。母は、私が学校で悪口を言われて帰って来ると、「あなた何で遅くなったの?」「お母さん、また殴られたよ。」「先生は何と言ったのか?」「先生は、学校が大事か、教会が大事かと聞きました。」「それで何と答えたのか?」「教会が大事と答えました。」「それで良い。」小さい子どもが罰を受けることには無頓着で、痛いか痛くないかは聞かずに、教会が大事だと答えればそれで良いのでした。それから母は、聖書のヨハネの黙示録2章10節「あなたが受けようとしている苦しみを、何も恐れることはない。見よ。悪魔は試すために、あなたがたのうちのだれかを牢に投げ込もうとしている。あなたがたは十日の間、苦難にあう。死に至るまで忠実でありなさい。そうすれば、わたしはあなたにいのちの冠を与える」を読むのでした。私はいのちの冠というのが何か分かりませんでしたが、母が大事だと言うので、そういうものだと思っていました。また教会に行けば「……死ぬまで忠誠しよう」と賛美するので、正確には分からなくとも賛美をまねしていました。一、二年が過ぎると、学校があまりにも子どもたちを苦しめるので、教会に通っていた子どもたちが一人、二人と、だんだん諦めて教会に行かなくなり、日曜日に学校に行くようになりました。

ソン・ヘヨンという牧師の息子がいましたが、彼は諦めることをしませんでした。彼は普通の子どもではありませんでした。彼のおかげで、私も歯をくいしばって耐えることができたのでした。私たち二人は最後まで耐えることができました。とても感謝でした。

ある日曜日、また学校に呼び出されました。家を出て、こちらに行けば学校、あちらに行けば教会……明日また殴られることを考えるとモヤモヤして、ばれないように学校の方に行こうと思いました。「学校に行き、いつも教会から家に帰る時間に合わせて家に帰れば、母が知る由もないだろう。今日は学校に行こう」と決めて学校のほうに少し歩いていると、誰かが私を見ているようでした。また、誰かが後ろから私を引っ張るような気がするのです。よく考えてみると、神様が「あなたがどこにいても、わたしは全部を見ている」と言われているようでした。日曜学校で「どんなときもイエスがともに行くならば」と、どんなに教えられたことか。逃げ出すことができませんでした。それで、急いでまた戻って教会に行ったのでした、もちろん教会には遅刻しました。

母は子どもたちを全員集めて、家庭礼拝を朝七時にささげました。朝から九人の子を座らせて、母が賛美をし、聖書を広げて読み、順番にお祈りをさせ、礼拝をささげるのです。そうすると時間がかかります。祈るときに「子どもたちを祝福してください」と祈ればよいのに、母はそうしませんでした。「神様、私たちのサンホ、サンチョル、サンテ、スンヨク、サンボク、ソミ、サンミ、スングム、メザ、この者たちが、主日聖別をすることができるようにお守りくださ い」と一人ひとりの名前を呼んで祈るのでした。それも一日に一回でいいだろうに、夜にもまた座らせて「サンホ、サンチョル……」と祈るのです。十二歳まで平壌に住んでいたのですが、十二年間、朝夜毎に一日二回「サンホ、サンボク……」と神様の前で呼ぶその祈りが効いたのか、朝七時と夜七時になると、母の祈りの声が耳に聞こえてくる気がするのです。

一九五〇年に韓国戦争（朝鮮戦争）が起こり、両親と下の弟妹を平壌に残し、兄姉と冬に韓国に避難しました。その後も、学生時代にどんなに過ちを犯そうとしても「神様、サンボク……」と母が祈る声が聞こえるので、過ちを犯すことができませんでした。イエスを信じる家庭に育つと、罪を好き勝手に犯せないのです。少し間違ったことをしても、罪を少ししか犯すことができません。私は子どもが毎日殴られても、神様に死ぬまで忠誠を尽くすのがより大事だと教えるような家庭に育ちました。釜山で中学校を卒業し、ソウルに上京して高校に通いながら、教会では奉仕をしていました。

私がなぜこの話をしたかというと、中学生のとき、釜山南教会中等部に伝道師が一人いたのですが、ひどいことに土曜日に徹夜祈禱をすると、私を自分の隣に座らせて一晩中祈るのです。三年間、厳格な訓練でした。高校生になってから、私は彼を避けるようになりました。なぜか私には、そう考えることさえありました。今はとても感謝しています。ソウルで一人で高校に通うころにはそれが習慣になっていて、毎週土曜になると教会に行き、徹夜をしたものでした。

聖書を教え、祈りを教え、罪を恐れるようにし、この年の子どもにとても厳しくするので、一時期は疲れました。罪に対する恐怖心を与え、罪を犯すことのないようにした――十代の反抗期に

それなのに、私に問題が起きました。牧師たちがイエスはもうすぐ再臨すると説教をすると、

私は怖くなるのでした。「再臨したらだめなのに。主が来たら私は……来るなら日曜に来ればよいのに。礼拝のときか祈り会に来ればよいのに。」なぜなら、日曜日を過ぎれば、心はまたさまようだろうから、平日に主が来るといけないだろうと考えたのでした。イエスの再臨を迎えるための心の準備ができていませんでした。戦争直後に、釜山で悔い改めの運動が活発に起きたとき、それはすごいものでした。牧師たちがあまりにも悔い改めようと言うので、どう考えてもそれ以上悔い改めることがないのに、牧師ごとに人を集めて常に罪の話をするので、悔い改めるしかなく、過去に悔い改めたことをまた思い出し、再度悔い改めたものです。またあるときは、家に帰って私の罪を思い出せるかぎりすべて書いてみました。五歳ころまで遡って思い出し、全部書き終えると、リストは長くなりました。それを持って、早朝に教会に祈りに行きました。一から五番まで悔い改めると六番以降は持って帰ります。一気にすべてを悔い改めると、次の日に悔い改めることがなくなってしまうからです。次の日の早天祈禱に行くと六から十番まで祈り……純粋な少年なので、牧師に言われたとおりに行うのです。罪の話をあまりにもするものですから、罪の意識の中で、涙と憂鬱な中・高と大学生活を送りました。

懺悔録は誰が書くか知っていますか？　聖者が書くのです。私たちは彼らを聖人と見るのですが、聖人であれば聖人であるほど、自分の罪に対する意識がより敏感になります。罪のどん底に完全にはまった人はどうせ罪にまみれているので、さらに加わったところで大したことないのですが、霊がきれいな人ほど小さな罪も耐えることができなくなります。

今、考えると、そのころが懐かしくもありますが、十代の少年としては罪の意識にさいなまれ生活に暗闇が訪れました。主が再臨すれば、私はどうしても主の前に立つことができないと思いました。そのため、主に怒られるだろう私がもう少し良くなったころに来られたらいいと考えました。そうするうちに、再臨が恐ろしく、再臨の悪夢を見るようになりました。私が主を迎える準備ができていなかったからです。イエス様が再臨するときには雲に乗ってやって来るというのに、私が見るイエス様は船に乗って来ます。空に小さな黒い点が現れ、どんどん近くに降りて来るとそれは船でした。高い丘の上に降ります。その船に乗らなければ天に昇れないので、私もその船に乗ろうと丘に向かって懸命に走って行くのですが、いくら走っても私は元の場所にいるのです。皆が走って丘に登って行き船に乗るのに、私だけがまだ船に乗ることができず、後に取り残されました。船が浮いて天に昇って行きます。叫びながら丘を登り、いつも目が覚めると夢でした。このような悪夢が大学生になるまで続きました。

今振り返ってみると、そのときの私には救いに対する確信がありませんでした。聖書もたくさん読み、教会でも聖書の学びをし、説教も数えきれないほど聞き、日曜学校でも教え、聖歌隊にも入っていたのに、救いの礎に対する確信や理解、救いに対する自信のある答えが私にはありませんでした。イエス様の十字架、カルバリー、血、信仰……すべて聞いてきたことであるはずなのに、なぜ私には救いに対する確信がなかったのだろうか？　誰も私に救いの問題について、福音について、具体的に教えたり説明したりする人がいなかったからです。もしかすると、牧師たちが説教の中で説明してくれたのかもしれません。あるいは、私が理解できなかっただけなのかもしれません。

大学二年のとき、牧師に洗礼を受けたかと問われました。幼いころに幼児洗礼を受けたことはあるかもしれないが、私自身から洗礼を受けたことはないと答えました、「教会でたくさんの奉仕をしているのに、まだ洗礼を受けていないとはどうしたものか？　来週の日曜日に洗礼を受けなさい」と言われたので、その次の日曜日に洗礼を受けました。そのときでさえ、私を呼んで座らせ、私の救いの問題に対して話してはくれませんでした。たった一度でも、そうして確信を持たせてくれたなら、恐れや不安、悩みや迷いが消え去り、永遠の平安をいただくことができたのに。幼いころから聖書を何度も読みましたし、罪を悔い改めよという説教や罪の問題について指摘する牧師の説教はたくさん聞きましたが、救いの問題について明確に解き明かされたのを聞いた記憶はありませんでした。

そこまで徹底した教会生活の中で育っても、イエス様の再臨を考えるだけでどれほど怖かったことか。自信を得るために毎週土曜日には徹夜で祈ったものです。そのため、その昔の寒い冬に毛布も持たずに座り込み徹夜祈禱をしているときにイエス様が再臨したら、私がここまで苦労しているのに連れて行かないはずがないだろう（このようにすることが神様をよく信じていることになると考えていました）と慰められていたのでした。どうしてそのようなことになったのかは分かりませんが、救いの問題について機会を逃したのです。私の胸のうちには救いを受けた平安がありませんでした。その結果として、学生時代の私の信仰生活の悩みや苦痛は、私の牧会の方針を形成させてくれました。

人が教会に熱心に出席し、また教会の仕事を多く行う姿を見ると、あの人はイエスをよく信じる人だと考えます。あるときは、良い信仰と言いながらも、それが何を指すのか分かっていません。もし昔の私を誰かが見たら、根本的な救いの問題が解決していないのに、幼いころより伝統的に教会生活を送ってきて慣れ親しんでいるから、良い信仰だと言ったことでしょう。私はこの問題を通して、私たち牧会者が気を引き締めて行うべきことは何かと考えました。そしてすぐに、牧会者のリーダーシップのことを考えていきたいと思ったのです。

私が大学卒業後、二十五歳のときの日曜日の朝のことです。仕事をしていたので手持ちの金はあります。青年が下宿先にいてもやることがないので、友人たちと夜を徘徊しながら二十四時ちょうどに帰宅します。その当時、二十四時以降は通行禁止でした。土曜日にも、やっとのことでタクシーに乗り二十四時に帰宅するのです。次の日曜日は主日礼拝の途中に聖餐式がありました。前の週に、来週は聖餐式があると告知されていたにもかかわらず、すっかり忘れていたのです。聖餐が始まると牧師が、聖餐を勝手に行っては大事になると言われました。それまでは、なんとなく順番が回ってきたら「まあ食べてやろうか」くらいに考えていましたが、その日は食べられる気がしませんでした。過ぎた一週間も土曜日の夜遅くまで外にいた自分自身の姿を振り返ってみると、聖餐を受ける準備ができていませんでした。それなのにその日に限って、配餐をする長老が聖歌隊の伴奏をしている私のところに真っ先に持って来るのです。私はどうしても聖餐にあずかることができませんでした。心が葛藤でいっぱいになります。しかし、いただかなければ「金兄、どうしたのか？　どのような罪が多くてそうするのか？　過ぎた一週間で一体どんな行いをしたから聖餐にあずからないのか？」と尋ねられるだろうし、食べようにも食べることができず、困ったものです。長老が近づいて来るのに十秒もかかりません。それなのに、私には一時間のように感じたのでした。

このような葛藤の中にいるのに、もう私の前には聖餐を持った長老がいます。「私はどうしてもイエス・キリストの体と血を受けることができない。私のように霊的に準備ができていない状況でどうしてキリストの聖餐に同席することができようか。できない。」……すると、神様がそのとき、私におっしゃいました。「私があなたを救ったのは、あなたが賢いからでも、出来がよく純粋で健全な青年だからでもない。あなたが罪人だから、あなたを恵みによって無条件に救うのだ。あなたの生活に欠けや不足がなく、あなたが忘れることなくすべてを悔い改め、またあなたが徹夜祈禱をし、日曜学校の奉仕をしているから救うのではない。あなたのような人間にもかかわらず、私はあなたを愛しているから、永遠のいのちをただプレゼントとして与えるのだ。」

「神様！　私のような罪びとを永遠に愛してくださるのですか？」

私はその御声を聞いて、私のような罪びとだから、キリストの引き裂かれた御からだが必要だということが分かりました。そして手を延ばし、その聖餐を口に入れたとき、私は自分の身体に電流を感じました。聖餐を配っている間は賛美を引き続けなければならないのですが、私はどうしてもそれ以上はピアノを弾くことができませんでした。私はピアノの椅子に座っていたのですが、ピアノから手を放し、そのまま床に座り込んでしまいました。その時間、私には聖歌隊員も牧師も見えず、私を無条件に永遠に抱きしめてくださる主と私の二人以外には誰もいないように感じました。恥ずかしいとか、誰がどう考えるかとかは、私には関係がありませんでした。神様の福音、永遠の愛が私の魂に訪れました。私はその場から立ち上がることができず、座り込み泣くことを繰り返し、救いの感激を初めて感じました。その一日のことは、今も鮮明に覚えています。私は二十五年たって、やっと神様の福音が何か分かることができました。私の人生の中でその時間は、主の前で救いの恵みと感激を受けたまさにその瞬間でした。それ以前の神様は、恐ろしい律法の神様でした。その日、私はついに恵みの神様に出会ったのでした。

その日から私の内面に変化が始まりました。そのときまで私は罪の意識と葛藤、不安と恐れでいっぱいでした。しかしその瞬間、私の胸には平安が訪れ、驚くばかりの喜びを感じ、それまで背負ってきた重い罪の荷からパッと解き放たれました。飛んで行くような感覚でした。罪が赦された感謝と賛美の喜びが私の胸にあり、以前の暗闇は消え去りました。それから聖書を読んでみると、以前あれほど私が読んだ聖書とは異なる感覚でした。同じ聖書なのに、以前と同じではありませんでした。以前は教会の壁に貼ってある聖書多読グラフの私の欄を延ばすための義務感から読んでいたのに、それからは誰かが読めと言ったわけでもないのに読みたくなったのです。聖書を霊感によって書かれたその聖霊が私の胸のうちにいらっしゃったからです。

以前は十戒が嫌いでした。十戒を読むと、まるで神様がチェックリストを用意し、「こいつ、今度は二回目だ」と言われているような気がしました。十戒を読むだけで怖くなりました。また山上の説教は特別に私の心を苦しくさせました。ところがそのときから、山上の説教を読むと主の恵みを考えるようになり、感謝が湧き上がってきます。私がこんなにも足りない者であるにもかかわらず、主は私を愛してくださったのか！　永遠の前に私を救うために、神様が私を大切にし、二十五歳のときにご自身の恵みに気が付くことができるようにしてくださったのです。私の孤独やさみしさのためではなく、イエスのために私を愛してくださったのです！

私の罪が、私の足りなさが見えれば見えるほど、神様の恵みがますます感謝になります。身に余るほど、死ぬまで忠誠を誓っても、この骨を削って主の前にささげても足りないのです。どうして、神様は私たちをこんなにも愛してくださるのか！　私はこのような経験をして牧師になったので、私の牧会の方針は明確になりました。この恵み、この喜び、この感謝を伝えたかったのです。間違って考えると、牧師としての使命はただみことばを伝えるだけだと思ってしまいます。しかし単純にみことばを伝えることが目的ではなく、みことばを伝えることを通して人々を罪から救うことが目的です。単純にみことばを伝えるのではなく、そのことばの中に魂一つ一つを探していく救いの手が必要だということです。

私は高校一年生のときから、教師になりたかったのです。神学校に行って二年がたったころに、召命を感じました。私は召命感が何かも分からずに神学校に行ったのです。牧会者になりたかったからではありません。大学四年生のときの4・19事件（訳注＝李承晩大統領が不正選挙のため民衆デモにより下野した出来事）以降、同期で同窓生だったキム・ミョンヒョク教授とソン・ボンホ教授たちと一緒に「新生活運動」という国民の意識と生活のための改革運動を始めました。それで、彼らと同じ思想や改革運動を韓国社会に継続して広げ定着させていくために、米国のような西洋世界に行き、もっと学び、研究し学位をとって大学教授になり、青年世代に影響を与え、米国的な生活改革運動をしなければという考えを持っていました。そこに福音はなく、社会改革のようなものを目指していました。大学時代にオランダの哲学を学び、少し味わったキリスト教哲学に、韓国社会のため何か役立つ答えがあるような気がして、その系統の学びをしたいと思い、海外留学の道に進みました。

それなのに、私が行った神学校の教授たちは最初の時間から私を牧師にしようとしているのです。「このままでは、私はここで牧師になる勉強をしかねない。私はその勉強をしに来たのではないのに……。」キリスト教哲学や倫理学を学びに行ったのに、そのような科目は一つもなく、牧会者を育てるための学問を学ばせるのです。

牧会神学の講義の初回に教授が、神様から聖職につくことをどのように召命されたのか一人ずつ証しするように言いました。私はその当時、召命が何か全く分かりませんでした。一人の学生が立って、「自分は天文学の博士課程中に教授に伝道されイエスを信じるようになった。それで神様が自分を呼んだので、一生を神様にささげる決心をした」と話します。またある学生は「私はオペラ歌手だったのですが、主に呼ばれた」と証しし、ある人は「自分は医者ですが、神様が自分を聖職に呼んだ」と証ししていました。どの学生も召命を受けたというのに、私だけが神様の呼ぶ声が分からずにいたのです。私のビジョンは、これから十年間勉強をし、いろいろと私がやりたいことを学び、韓国に帰国しどうするかという、牧会と全く関係のないものでした。それは私自身の計画だったのに、どこに召命があるのでしょうか？　私は召命を受けたことがありませんでした。ちょうど一番後ろに座っていたのですが、どんどん私の順番が近づいてきます。召命を受けたことがないのに、大変なことになったと思いました。頭を下げて下を見ていると、チャイムが鳴りました。

本当はその神学校に行こうと思ったのではありませんでした。一九〇二年から四十年間韓国で宣教師をしていた方が一九五九年、もう一度韓国に来られた際、私に通訳を依頼したことが縁で、仕事の後に一緒に米国に行かないかと私の意向を尋ねました。いつかは米国に留学に行こうとしていたところだと答えると、自分が手続きを全部しておくから米国に来いということでした。米国に着くと、そこは彼が副理事長をしていた神学校だったのです。逃げ出したくても、その方が当時の私の婚約者と結婚してから米国に来いと、私と妻のすべての旅費やアパートと車を準備してくださったものですから、その手前、違う大学に逃げることができませんでした。

一年半が過ぎて私が二十九歳になったある礼拝の時間、学生にあまり人気のない旧約聖書の教授が説教を担当しました。声があまりにも大きいので前に座ると耳が痛くなるほどで、どれだけ退屈だったか。この教授のヘブル語の試験は、朝九時から夕方五時まで、教科書の中にある単語を一つ残らずすべて試験問題として出題するのです。そんな教授を誰が好きになるでしょうか？ヨブ記38章を読みました。37章でヨブは神様に、どうして私がこれほどまでに苦労しなければならないのか、理由を教えてくれるように訴えています。37章までは何も語らずにいた神様が、38章1～4節で嵐の中に現れて「わたしが地の基を定めたとき、あなたはどこにいたのか。分かっているなら、告げてみよ」と尋ねられました。それからは、ヨブにとって絶対者なる神様、永遠の神様として、この宇宙のすべてに計画があり、あなたを目的があってこの世界に生まれさせ導くのに、あなたは何者であるがゆえにこのように言うのか、と尋ねられるのです。それでヨブは主に答え、「ああ、私は取るに足りない者です。あなたに何とくちごたえできるでしょう。わたしはただ手を口に当てるばかりです……」（ヨブ40・3～5）と降参しました。

正直に言うと、私は一年半の間ヨブと同様でした。「神様、私が何をしたいのかご存じではありませんか？　それなのに、逃げ道も用意してくださらないなんて……」と、いてもたってもいられず、毎日不満ばかり言いました。その最中、チャペルの時間に旧約聖書の教授の説教を聞き、絶対者なる神様と改めて出会うことができました。恵みの神様には二十五歳のときに会い、二十九歳で絶対者なる神様と出会ったのです。

そのとき、私はようやく気が付きました。私は神様を信じていると言って生きてきたのに、本当は神様を信じていたのではなく、神様を利用してきたということに。それはまるで、私が何かをやりたいときに一人でうまくできるとそのまま過ごし、うまくいかないと神様を呼んで使い、神様また必要だったら呼びますね、また会いましょう、と言うかのようでした。私が神様の御心にかなうように存在するのではなく、私の心にかなうように、神様は私の補佐官に過ぎなかったのです。そのとき、私は礼拝が終わると倒れました。「神様、私をお赦しください。私のようなみじめな人間が、神様がどのような方なのかも分からずに、神様を利用し、このような者が神様を私の助手のように使ってきた罪をお赦しください。これからは私の人生を主にささげますから、主が何でもお使いください。私を何にするにしても、お望みのようにお使いください。私の人生をあなたに委ねます。」それが、私の人生の最高の時間でした。

《編訳者》

廉　成俊（ヨム・ソンジュン）

合同神学大学院卒業。韓国ハレルヤ教会から日本宣教師として2000年に派遣。
日本福音キリスト教会連合(JECA)
青梅キリスト教会　所属宣教師
青梅東宣教キリスト教会　担当

人を生かすリーダーシップ
牧師と信徒の 健全な牧会

2020年3月1日　発行

著　者　金 相福（キム サンボク）
編　訳　廉 成俊（ヨム ソンジュン）
印刷製本　日本ハイコム株式会社
発　行　いのちのことば社
〒164-0001 東京都中野区中野2-1-5
電話 03-5341-6922（編集）
03-5341-6920（営業）
FAX03-5341-6921
e-mail:support@wlpm.or.jp
http://www.wlpm.or.jp/

ISBN978-4-264-04142-9